KRUGER

SEÁN Ó LÚING

iarfhocal le Páid Ó Néill

Coiscéim

An Chéad Chló 1986

Tá na foilsitheoirí an-bhuíoch de Pháid Ó Néill agus Billy Mulqueen,
Luimneach, as na grianghrafanna a chur ar fáil.

Leagan é saothar Sheáin Uí Lúing anseo de aistí a foilsíodh
i gcéadóir in *Iris Chumann Seandálaíochta is Staire Chiarraí.*
Táthar fíorbhuíoch de lucht an Chumainn sin.

Dearadh: Vermilion
Clúdach: Clíodna Cussen, bunaithe ar phortráid i dTigh Khruger

KRUGER

CUID I

MUIRIS CAOMHÁNACH I MEIRICE

MAR A FUAIR SÉ A THEIDEAL

I mBaile na Rátha i bParóiste Dhún Chaoin, dhá chéad slat ón Muir Atlantach, a saolaíodh Muiris Caomhánach ar dháta an 28 Márta 1894. Sin é an fear a tháinig fé umhail an tsaoil fén ainm Kruger, gairm a fuair sé ina gharsún dó ar Scoil Dhún Chaoin. Bhí dhá chomplacht de na garsúin scoile lá ag beartú cogaíochta i gcoinne a chéile sa chlós, Muiris Caomhánach i gceannas complachta, agus Muiris Ó Scannláin ó Ghleann Loic i gceannas na taoibhe eile, in aithris ar Chogadh na mBórach a bhí á throid san Afraic Theas. Tháinig an máistir scoile Seán Ó Dálaigh ar an láthair agus mar pháirt sa ghreann bhronn sé 'Kruger' mar theideal ar Mhuiris Caomhánach ó Uachtarán na mBórach Paul Kruger, agus 'An Cornal' ar an Muiris eile ón gceannasaí Kitchener. Lean na leasainmneacha dóibh agus d'iompair gach duine acu a theideal féin go bródúil ar feadh a shaoil.[1] Chuir Muiris Caomhánach Kruger mar ainm le scríbhinní agus litreacha. Is fearr d'aithin daoine é fén teideal Kruger ná a shloinne cheart. Ar a shon-san, is minic d'airíos comharsain ag tabhairt 'Muiris' air go béasach nuair a bhídís ag labhairt leis féin.

SINSEAR MHUIRIS

Seán Dhónail ab ainm dá athair agus Máire Sheosaimh dá mháthair. Seo tuairisc ós na teastaisí baiste i mBaile an Fhirtéaraigh ar na glúine gaoil a tháinig díreach roimhe. I mBéarla a scríobhtaí síos iad:

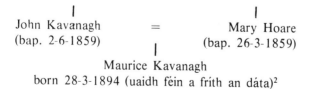

Daniel Kavanagh=Elizabeth Garvey   Joseph Hoare=Kate Kennedy

John Kavanagh   =   Mary Hoare
(bap. 2-6-1859)   (bap. 26-3-1859)

Maurice Kavanagh
born 28-3-1894 (uaidh féin a fríth an dáta)[2]

Bhí Liam, Seán, Séamus agus Peig ar an gclann chéanna leis.

---

1. Leanaim cúntas Phádraig Uí Néill ar a úncail, 'Kruger dhá bhliain déag ar shlí na fírinne'. *The Kerryman/Corkman* 15 Aibreán 1983.
2. Féach nóta 3.

IMIRCE

Ar nós na dtáinte fear agus ban óg dá chomhaimsir chuaigh Muiris 'sall', is é sin, d'imigh sé go Stáit Aontaithe Mheirice, do lorg a mhaireachtana. Tá pictiúir de a tógadh i Springfield an 10 Lúnasa 1913, nuair a bhí sé ina strapaire aosánaigh naoi mbliana déag, fara le beirt óigfhear eile óna pharóiste dúchais ba dlúthpháirtithe dhó.[3] Ní raibh sé thall ach tamall gairid nuair a tógadh an pictiúir sin. Deir a nia, Pádraig Ó Néill, gur in Aibreán na bliana 1913 a sheol sé leis ar imirce.[4]

De réir dhealraimh bheartaigh Muiris socrú síos go buan ins na Stáit. Bhain sé amach a Theastas Saoránachta ar ball agus tá faisnéis ar an dTeastas ina thaobh mar leanas: Maurice Joseph Kavanagh, 66 Chestnut Street, Hartford, Conn., applied to be admitted a citizen of U.S.A., having resided continuously for at least 5 years, and one year at least immediately preceding the date of filing of this petition and that said petitioner intends to reside permanently in U.S. ordered that he be admitted as a citizen of the U.S.A. Dated 27 May 1920 Age 26 years, height 5' 10" *color* white *complexion* medium *color of eyes* brown, *color of hair* brown.

Tá doiciméad eile ann freisin a thugann mar eolas ina thaobh go dtáinig sé i láthair chun a chláraithe, de réir an ordaithe a chraobhscaoil Uachtarán na Stát Aontaithe, agus go ndearnadh, ar an gcúigiú lá de Mheitheamh 1917, clárú dá réir sin ar Mhuiris S. Caomhánach, New Haven, Precinct J9, i gContae New Haven i Stát Chonnecticut; Uimhir a Dheimhniú Clárúcháin J 1210; H. B. Ferris an Cláraitheoir.

AN FEAR FÉIN

Tá dátaí áirithe agus eolas lom sa mhéid sin thuas. Ach an fear

3. Tá an méid seo scríofa i láimh Mhuiris ar chúl an phictiúra:

Kruger Kavanagh Ballinaraha — born 28 March 1894
Dan Kavanagh, Ballinaraha born Feb. 1892
Mike Moriarty, Ballykeen June 1892. Taken in Springfield, Mass., 10 Aug 1913. Dan and Micheál lived in Hartford, Conn., up to 1949 and still are. Kruger returned to Ireland 10/6/1929. Married Kate Neill, Ballymore 23 Sept 1936.
Dan had 2 children, Mae and John. John married a Long girl, whose father came from Ventry a son of Cooper Long. Mae married in 1947 to civil engineer in Hartford.
Micheál and Kruger had no families. Micheál married a Mayo girl in Hartford Conn.
'Kruger, Dan and Micheál 3 lifetime pals since youthful days in Dunquin'.

4. *The Kerryman* 15 Aibreán 1983.

An fear óg.

féin? Ní féidir saol duine, ná an céadú cuid de, a bhreacadh síos i
gcuntas beatha dá iomláine. Nuair is duine chomh héagsúlach le
Kruger é níl an dul is lú air. Conas is féidir an fear neamhchoitianta
san a cheapadh agus a choimsiú síos ar leathanach páipéir sa tslí a
thabharfadh cruinntuairisc agus fíorléargas air? Níl an scríobh ann a
dhéanfadh. Fear ab ea é a bhí saibhir le tréithe agus tíodhlaicí an
duine. Fear gan bheann ar éinne. Fear eachtra agus misnigh. Fear le
meon doimhin diamhair, más minic féin a bhí an gháire ar chlár
oscailte a ghnúise. Gael.

Tá a chló pearsan léirithe in ola-dhath ag scuaib oilte Tony Harper
agus féadfar é sin d'fheiscint ar crochadh sa tigh flathúil i nDún
Chaoin dob ionad cónaithe dó an leath deiridh dá shaol. Tá caithis
agus tathag a chabhaile is a ghéag ann, deilbh taibhseach a chinn,
achar fáilthí a chuntanóis, súile atá laomannach le greann. Captaein
groí géagach fir. Tá tuairisc eile air sa phictiúir iontach camera de a
thóg Adolph Morath, é ina shuí ar stól cois tine agus cupa tae ina
láimh. Ach féach ar a shúile. Fiú amháin sa chló pictiúra tá siad beo
le greann agus scéalaíocht. Tá insint sa phictiúir sin atá an-ghairid
don Khruger fíor.

EALAÍ MHUIRIS INS NA STÁIT AONTAITHE

Chaith sé tréimhse thábhachtach dá shaol, sé nó seacht mbliana
déag, sa Domhan Úr, áit inar chuir sé é féin in iúl go feidhmiúil.
B'fhéidir nárbh fhearr slí chun a thuairisc agus a thionscal ins na Stáit
a chur i bhfios ná an méid seo thíos a foilsíodh i gcolún na litreacha
san *Kerryman* ar dháta éigin sa mbliain 1922, is dóigh.

PULSE OF THE PEOPLE

Well-known Kerryman in U.S.A.

Mr Maurice Kavanagh

To the Editor,

72 Chandler Street,
Boston,
Mass., U.S.A.

Dear Sir,

Long have I waited in writing you this letter in regard to a
son of the Kingdom of Kerry. Being a reader of several Irish
papers arriving here in the States, I see where they are giving a
brief story of the careers of Irishmen in America.

Well, as far as a career is concerned, we have a native son of Kerry here — Maurice Kavanagh — who was born in Dunquin, west of Dingle, 28 years ago, and who came to this country at an early age, finished his education here, and to-day is considered the greatest critic of Irish drama and Irish musical comedies in America. I would have sent this a long time ago, but I waited for someone better qualified than I to send it in. His father, John D. Kavanagh, was an R.D.C. at one time, and a friend of Maurice Griffin, the 'Kerryman'.

I take the following extract from one of the American papers: 'Maurice Kavanagh, considered the Irish Censor of Broadway, gave out a statement to-day that all caricature of the Irish race on stage and screen must come to a stop, and usually what the Irish critic says is heeded by several producers. Only a few years ago Kavanagh had a few so-called Irish pictures shelved. One of these was 'Kathleen Mavourneen'. This picture was one of the greatest insults to the Irish race. He stated that the Irish public in America are awakened to the fact that pride of race comes ahead of politics, and that nothing will be left undone to have producers give clean Irish art as it should be given'.

Since I started my letter a friend of his came in, and I inquired more of him about Kavanagh. This friend of his happens to be a brother of J. Begley, who is a member of your Kerry Team home. He says Kavanagh is a brother to Seán Kavanagh, the well-know Irish scholar, and a son to John D. Kavanagh who was for years a member of the Dingle R.D.C. from Dunquin. Maurice emigrated out here about 1912, attended High School in Springfield, Mass., and graduated from there later, when he became secretary to Walter Scanlan, the famous Irish tenor singer. Then he went as a critic on Broadway, New York, and took special interest in getting the so-called Irish stage character changed.[5]

> I am a Kerryman, like Mr Kavanagh,
> — Mise le meas mór,
> Dan Burns
> (formerly of Sneem)

Ní holc an léargas é sin ar Mhuiris Caomhánach ó fhear de chlann atá dea-aitheanta timpeall na Snaidhme in Uíbh Ráthach. Cuireann

5. Ar chárta fiosraithe tá scríofa: M. P. (recte J) Kavanaugh/Dramatic critic/Irish Drama League, N.Y.

sé Muiris ina sheasamh i lár baill i measc an dreama a ghnáthaigh sé
ins na Stáit Aontaithe, is é sin, lucht stáitse, drámaíochta, pictiúir-
eachta, taispeántachais, siamsaíocht vaudeville, agus taibheoir-
eachta. Is beag duine i measc na gceard san ná raibh aithne air, nó
uirthi, ag Muiris agus ós cuid dá gceird siúd líofacht, deisbhéal,
briatharchumas agus gastacht urlabhra, tháinig do Mhuiris a bheith
líofa, teanga-éasca agus tráthúil san urlabhra thar aon sa dá chanúint
a chleacht sé, Béarla agus Gaeilge. Seachas san gur bhuntáiste
bhreise dhó bua na cainte a bheith ann ó dhúchas. Chuir sé slacht
agus neart ar a cháiliochtaí aiceanta sa tír is barúlaí agus is barántúla
sa domhan Béarla. Fear seóigh de réir bhun-bhrí an fhocail ab ea
Muiris, showman, agus bé a lán dá chúram an seó a bheith ar an
mbóthar aige, ar thraein nó cóiste, ó chathair go cathair, ó amhar-
clann go hamharclann, trasna Mheirice.

MAR RÚNAÍ DO WALTER SCANLAN

Tá insint chomair ar a shaol i Meirice le fáil i gceann de pháipéir
nuachta Hartford, Connecticut, agus ar a shon ná raibh dáta ná
teideal an pháipéir luaite ar an ngearrthán a bhí i measc a scríbhinní,
is dealrach gurb é an *Hartford Courant* é agus gur tráth éigin i 1924
a foilsíodh é. Is iad seo cinnteidil na tuairisce:

MAURICE KAVANAUGH SEES OLD FRIENDS
De Valera's former bodyguard here with Walter Scanlan
Lived in Hartford for three years
Says Irish tenor's company all speak with accent

Tá Muiris Caomhánach i Hartford arís, a deir an cuntas seo, ar
thuras gairid, an tráth so mar rúnaí pearsanta do Walter Scanlan, an
t-amhránaí tenor Éireannach atá fé láthair in Amharclainn Parson's
sa taibhiú ar 'The Blarney Stone'. Ó Éirinn do Mhuiris, agus bhí
cónaí air tráth i Hartford, agus ba dhuine é den dís a bhí ina ngardaí
cosanta speisialta ar Eamon de Valera le linn a thuras go Meirice,
agus ina dhiaidh sin arís bhíodh sé ag scríobh tuairiscí ó Nua-
Eabhrac do pháipéir nuachta in Éirinn.

In Éirinn a saolaíodh an Caomhánach, agus is ann a fuair sé a
chéad scolaíocht ina óige. Tháinig sé dhon tír seo tuairim dhá bhliain
déag ó shin agus sa mbliain 1918 tháinig sé go Hartford, mar ar
chónaigh sé trí bliana, ag obair do P. Berry & Sons Company.

Is Meiriceánach é thar aon rud eile, ach tá a bháig le poblacht na
hÉireann, agus tá a chanúint gaolmhar di. Do hoileadh é ina óige (níl

sé ach ocht mbliana fichead anois) i bparóiste i bpoblacht na
hÉireann, ina mhac le máthair phoblachtach Éireannach agus ar a
shon gur ceileadh pribhléidí oideachais uirthi féin d'oibrigh sise le
dícheall do sholáthar oideachais dá clann mhac. Sula raibh Muiris na
sé bliana déag bhí ceird na scríbhneoireachta á chleachtadh aige agus
bhí céim údaráis bainte amach aige ar chúrsaí litríochta agus ealaíon
na hÉireann. Bhí beagnach deich mbliana ag a dheartháir Seán air
agus bhí sé tugtha suas dó san gurbh é an t-údarás b'airde in Éirinn é
ar an nGaeilge agus bhain sé cáil amach thairis sin mar oide agus mar
chainteoir. Bhí Seán ar dhuine de thacaí tréana De Valera agus thug
sé timpeallchuaird na tíre seo cúpla uair ag lorg tacaíochta do
phoblacht na hÉireann. Mí Eanáir seo caite gabhadh é féin agus a
thuilleadh dá bhuín sa Daingean i gCo. Chiarraí, agus fuarthas
ciontach é i ngníomh luíocháin agus cuireadh deich mbliana príosúin
air. Tá sé anois ina phríosúnach ar Churrach Chill Dara. Deir Muiris
gur tairgeadh do Sheán é ligint saor ach a fhocal a thabhairt ná
déanfadh sé beart i gcoinne an tSaorstáit ach gur dhiúltaigh sé.

INA GHARDA COSANTA D'ÉAMON DE VALERA

Go Springfield a tháinig Muiris ar theacht go Meirice dó agus
bhain sé amach a chéim scolaíochta ann san Commercial High
School. Chuaigh sé as san go New Haven agus as san go Hartford. I
gcaitheamh an ama sin go léir bhí sé ag scríobh do pháipéir nuachta
éagsúla sa tír seo agus lasmuigh di ar chúrsaí na hÉireann, agus nuair
a tháinig De Valera go Meirice bhí sé ar dhuine den bheirt a ceapadh
mar gharda cosanta speisialta do cheannaire phoblacht na hÉireann.[6]
Bhí sé i dteannta De Valera nuair a tháinig seisean go Hartford agus
is ar Mhuiris is mó a thit oibleagáid freagartha na gceisteanna nuair a
bhí lucht páipéar agus eile ag lorg deis chainte le De Valera. Aon deis
chainte leis a socraíodh, b'eisean a réitigh é.

D'fhan sé i bhfochair Uachtarán na hÉireann nó gur shroich sé
Chicago, ach b'éigean dó éirí as ansan mar gheall ar bhreoiteacht.
D'fhill an Caomhánach ar Nua-Eabhrac agus bhí sé ar an dream

---

6. Tá grianghraf (fíor-dhoiléir) ann de Mhuiris agus De Valera ag siúl trasna sráide i
Washington, 'snapped by an English intelligence man', a deir nóta i láimh Mhuiris ar
a chúl.
   Thug De Valera turas ar Hartford, Connecticut Dé Sathairn 3 Eanáir 1920. Bhí
sé i mBridgeport sa Stát céanna an lá roimhe sin, mar ar ullmhaíodh fleá in onóir dó.
Tá biachlár na hócáide i measc scríbhinní Mhuiris. Tá clóbhuailte ar éadan an bhia-
chláir: Banquet in honor of Hon. Eamon de Valera President of the Republic of
Ireland at the Hotel Statfield Bridgeport, Conn., agus tá na hainmneacha seo lámh-
scríofa air: Cóta (i.e. deartháir Mhuiris), Liam Mellows, Harry Boland, De Valera,
Kelly, Joe Begley.

deiridh a chraith lámh le De Valera sular chuaigh sé ar bord árthaigh chun na Fraince. Sin é an uair dheiridh a chonaic Muiris é.

Ina dhiaidh sin chuaigh Muiris go Nua-Eabhrac mar ar chaith sé a chuid ama ag scríobh aistí stairiúla ar ealaí agus litríocht na hÉireann do pháipéir agus foilseacháin Éireannacha sa tír seo. Ráinig dó ansan caidreamh a chur ar Walter Scanlan. I mBrúclinn, Nua-Eabhrac, a rugadh an t-amhránaí tenor Éireannach so; b'Éireannaigh a athair is a mháthair. Theastaigh fear ó fhód na hÉireann uaidh chun blas chomh hÉireannúil agus ab fhéidir a chur ar an mBlarney Stone. 'One of the most important duties of Kavanaugh was to test out the various prospects for places in the cast as to their Irish accent (Kavanaugh didn't mention the word brogue once in a long talk with a Courant reporter) and no matter what other qualifications the applicant might have, if the true tongue wasn't there, there wasn't a chance. The cast had to be 100 per cent Irish to the tip of their tongues'.

Ní raibh Scanlan féin riamh in Éirinn, ach bhí sé ar intinn aige turas a thabhairt fara le Muiris go luath chun abhar dúchais a lorg dá chéad iarracht eile drámaíochta.

WALTER SCANLAN

Dála an Scannlánaigh, a raibh Muiris i mbun poiblíochta dhó, tá dealramh ar an scéal nach Scanlan ba shloinne dó ó cheart in aon chor ach gurb éinne amháin é féin agus Walter Van Brunt, 'The American Tenor', a saolaíodh i mBrúclinn, Nua-Eabhrac, mí Aibreáin 1892. In aois a naoi mbliana dó thosnaigh Van Brunt ar amhránaíocht soprano i gcór eaglaise i mBrúclinn. Um aois a trídeag bhí sé ag amhrán mar shoprano solo in Eaglaisí na Tríonóide agus Naoimh Eoin i Nua-Eabhrac. Thosnaigh sé ag cleachtadh mar tenor in aois a cúigdéag, tráth a chéad-chuir sé a ghuth ar cheirnín. I 1913-14 thug sé turas amhránaíochta ar fuaid chathracha móra na Stát agus Cheanada agus fuair ardmholadh sna páipéir. Tá pictiúir Walter Van Brunt seo ar bhilleog phoiblíochta (fara leis an eolas thuas) i measc pháipéirí Mhuiris agus tá sé chomh mór in ionannas le pictiúirí Walter Scanlan gur beag amhras ná gurbh éinne amháin iad.[7] Is

7. Tá dhá ghearrthán páipéir ann fé dháta 2 Aibreán 1925. Éirim na nuaíochta iontu go bhfuair a bhean scaradh pósta uaidh agus gur Walter J. Van Brunt ab ainm dó ach gur ghlac sé an ainm Walter J. Scanlan, 'Irish tenor', chuige féin ar mhaithe lena cheird amhránaíochta. Bhí amhránaí eile ann dárbh ainm William J. Scanlan a d'éag suim blianta roimhe sin. B'Éireannach ceart é agus fuair an Breitheamh Ó Tighearnaigh locht láidir go maith ar Walter Scanlan i dtaobh feidhm a bhaint as ainm an fhir sin.

dócha gur chabhraigh sé leis ina cheird cáil agus cosúlacht Éireannach a ghlacadh chuige féin mar amhránaí, rud nár dheacair dó ó bhí blas na hÉireannúlachta (pé fíor fallsa é) ar cheirníní a bhí déanta aige do chomhlacht Edison, mar atá, Mother Machree, My Wild Irish Rose, When Irish Eyes are Smiling, Where the River Shannon Flows, Famous Songs in Irish Plays, My Sweet Little Colleen, agus mar a deir Muiris i nóta beag atá scríofa aige i ndáil leis, 'Nach cuma faid a bhí amhráin agus ceolta ár dtíre á gcoinneáil beo'. Cé déarfadh ina choinne?

Bhí Muiris fad de bhlianta ina fhear poiblíochta aige ó chathair go cathair ar fud Mheirice Thuaidh. Gheofar fios ar a ghnó ón duilleog seo:

PRESS MATTER
M. J. Kavanaugh
Publicity Dept.
236 West 15th St.
N.Y. City

FOR
WALTER SCANLAN
AMERICA'S GREATEST
SINGER
OF
IRISH SONGS

TO LOCAL MANAGERS

Before you begin to send out this copy, please read it carefully in order to familiarise yourself with the contents and — TO MAKE THE NECESSARY INSERTIONS AND CORRECTIONS THAT LOCAL CONDITIONS REQUIRE.

If your local papers require any special matter in addition to

---

Tá teileagram ann a bhaineann, de réir dhealraimh, le halt éigin eile i bpáipéar nuaíochta. An bainisteoir George M. Gatts a sheol é go dtí an Scannlánach, Plymouth Theatre, Boston, Mass. Deir an teileagram, 'Dont consider newspaper article so serious writing you about it advising Barry let it drop'.
Tá nóta i láimh Mhuiris faoina bhun:

News (?) referring to several Irish tenors who were of different nationalities. This is how some of the Irish emigrants showed themselves in opposition to anyone who exposed (?) themselves to sing the patriotic songs of Ireland. What did it matter as long as the songs and music of our Motherland were kept alive.

the material presented herewith, MR SCANLAN'S advance publicity agent, Mr Kavanaugh, will be in your CITY a week ahead of Mr Scanlan, and will write several interesting special stories for you.

PRESS DEPT.

M.J.K.[8]

AG TAISTEAL NA gCRÍOCH

Thaistil Kruger go fairsing. Tá i measc a chuid scríbhinní Meiriceánacha liosta fada amharclanna agus láthaireacha siamsa, suas le céad díobh, ar a raibh triall an Scannlánaigh, i Stáit Nua-Eabhraic, Massachusetts, Vermont, Connecticut, New Hampshire, Pennsylvania, Virginia, Rhode Island, New Jersey, Maine, Ohio. Áiritear ina measc freisin Montreal, Calgary (Alberta), Chicago,

8. Seo cúpla mír as duilleoig phoiblíochta den sórt a bhíodh á gcur amach ag Muiris. Baineann an ceann áirithe seo le léiriú den *Blarney Stone* san Majestic Theatre, Findlay, Ohio an 31 Nollaig 1924:

'The Blarney Stone', which Mr George M. Gatts is presenting this season with the most popular of singing actors, WALTER SCANLAN, in the principal role, is a most delightful comedy drama, an idyllic picture of life in the Green Isle. Edward E. Rose, a master-dramatist, is the author, and it is safe to assert that Mr Rose has never done better work than in this, his latest comedy.

The hero of the story ... is a young musician, Brian O'Linn, who is struggling to make a living by editing and publishing a newspaper in an obscure village in Ireland. He has composed an opera which is under consideration by Dublin managers. One day romance knocks at the door of his humble home. He yields to its soft influence and it gives him inspiration for his song. His song reaches the heart of a young and lovely heiress, his opera proves a wonderful success and after all his struggles, fame, fortune and love are his own. ...

HEAR SCANLAN SING

'A Bit o' Pink and White'
'Kitty'
'A Shamrock Flirtation'
'The Minstrel's Prayer'
'When you kissed the Blarney Stone'
'The Top o' the Morning'
and the old favorite Irish Melodies.

Dealraíonn sé go raibh dúil mhór ag Gaeil Mheirice ina leithéid sin. D'fhéadfadh gurb é Muiris féin a chuir le chéile an phoiblíocht thuas, nó go raibh lámh aige ann. Tá abhar spéisiúil, agus réimse fairsing de, ag feitheamh leis an té ar mhaith leis taighde a dhéanamh ar an ngné áirithe siamsaíochta a bhíodh á ghnáthú ag Gaeil Mheirice sa ré sin.

Seattle (Washington), San Francisco, Battle Creek (Michigan), Portland (Oregon). Tuigfear uaidh sin gur shiúil Muiris. Tá fothnóta ina láimh ag gabháil le háiteanna áirithe, mar shampla, Playhouse, Rutland, Vt., 'clever manager for jipping account'. I dtuairisc pháipéir nuachta i 1923 i dtaobh taibhiú i gCathair na Róimhe i Stát Nua-Eabhraic tá breactha aige ar imeall an cholúin, 'Baile na Míol', pé cúis a bhí aige leis sin, ar a shon go ndeir an tuairisc féin 'A handsome bouquet of yellow chrysanthemums was handed over the footlights to Mr Scanlan'.

Fear mór ina ealaín féin ab ea an Scannlánach. B'fhíor do John B. Yeats, 'We artists live by praise'.[9] Ar phoiblíocht a mholta, cuid mhaith, a mhair an feardána Walter Scanlan. Muiris Caomhánach a bhíodh ag ceapadh a mholta. Ach ní lú is inmholta an moltóir.

Bhí Muiris tuairim deich mbliana ag déanamh poiblíochta ar shon an Scannlánaigh.[10] Ach níor bhac sé sin é ar bheith páirteach i dtionscail eile. Tá grianghraf de ann agus a lámh go muinteartha aige ar ghualainn ógmhná, 'On my merry way to London 1924 ... On board the *Franconia* 1924. In charge of the publicity for "Irish Luck" with Tom Meighan'. Ar phictiúir eile ón *Moving Picture World* tá lámhscríbhinn le Muiris: 'Tommy Meighan M.G.M. (Kruger) Kavanagh, 1924. On board of the *Berengaria* on our way to Killarney to film the picture "Irish Luck".' Fear breá deafhéa-

---

9. R. Skelton and D. R. Clarke ed. *The Irish Renaissance* (Dublin 1965) 58.
10. Seo litir thaidhleoireachta ó Mhuiris ar shon an Scannlánaigh fé dháta 7 Nollaig 1920, agus is dóigh gur tuairim an ama san a thosnaigh sé ag gníomhú dó.

Winonah Hotel
Bay City

Bay City, Mich.,
Dec. 7th. 1920.

Dear Mr. Castle:

This will confirm my arrangement with the Knights of Columbus for Theatre Party, whereby they will on presentation of special ticket at the box office receive $1.50 seats for $1.00.

They expect to have quite a large party who will meet prior to the performance at their Club rooms adjacent to this Hotel. I have arranged for Mr. Scanlan at their urgent request to drop into the Club Rooms at 8 P.M., on his way to the Theatre. They assure me they will not trespass on his time — just one song only — at the Club House and all present will adjourn then to the Theatre.

Herewith is Mr. Walter H. Graveline's card enclosed. He is arranging the party so please meet him upon your arrival at Bay City, his place of Business is just opposite the hotel, 'The Style Shop'.

Thanking your for your courtesy and attention,

Very truly yours,
Maurice J. Kavanagh.

chain ab ea Meighan, mar is léir óna phictiúir. Ní bhfuair sé saol fada.[11]

Dá gcuireadh Muiris chuige d'fhéadfadh sé caibidil spéisiúil a chur le stair na scannán sa tréimhse nuair bhí an tionscal ag athrú ó phictiúir balbh go pictiúir fuaime, mar bhí sé caidreamhach lena lán den aos ealaíon a bhain leo. Thug sé turas ar Chuba i 1925, pé cúram a bhí aige ann, agus tógadh a phictiúir 'amongst the orange groves. Back of Tom Moore's cottage'.

TUAIRISC RING LARDNER AR MHUIRIS

Tá Muiris tugtha isteach mar phearsa i ngearrscéal le Ring Lardner,[12] 'The Jade Necklace' (The inside of a Famous Motion Picture) a foilsíodh i Hearst's INTERNATIONAL combined with COSMOPOLITAN (i Samhain 1926?). Seo sliocht as:

> Well, L.N. (Bauer) cabled to a friend of his in Dublin, a fella in show business there, and asked him to recommend who was the handsomest actor in Ireland and the fella cabled back that there was a young actor named Maurice Kavanaugh who was the handsomest actor in Ireland or anywhere else. L.N. cabled Kavanaugh, asking him what he'd take to come to America and do a picture and Kavanaugh named the modest little stipend of $8,000 a week. I think he was afraid of the ocean. But what does L.N. do but cable him to come at that figure and he showed up at the office two weeks later, as sweet a looking young divil as ever vamped a colleen bawn.

Fear tábhachtach dá ré i litríocht Mheirice ab ea Lardner, comhaoiseach do Scott Fitzgerald, Edmund Wilson and Damon Runyon. Bhí caidreamh ar Damon Runyon ag Muiris freisin. 'Bhí aithne agam ar Damon Runyon nuair a bhí sé ag obair le muintir Hearst', a deir Kruger le colúnaí an Evening Herald Frank Lee. 'Bhí

---

11. Tá tuairisc a bháis is a shochraide ar an Sunday News (Nua-Eabhrac) 12 Iúil 1936. Áirítear sa liosta daoine a bhí ar a shochraid mórán a bhí ceannasach i gceird na scannán agus na drámaíochta ins na Stáit.
12. Ringgold Wilmer Lardner (Ring Lardner) 1885-1933. Saolaíodh é i Niles, Michigan. Iriseoir, go háirithe ar chúrsaí spóirt. '. . . the best of Lardner's stories are about games' (Virginia Woolf). Scríobh sé tuairim chúig úrscéal déag, You know me, Al ina measc, a lán gearrscéalta agus na céadta aistí grinn. Táid ann gur fearr leo é ná Hemingway. D'éag i Nua-Eabhrac. Cf. a bheatha, Ring Lardner (1956) le Donald Elder, Dict. of American Biography, United States and Latin American Literature (Penguin). Bhí léirmheas san Partisan Review (Nua-Eabhrac) ar a bheatha le Donald Elder agus bhí cóip den léirmheas i measc scríbhinní Mhuiris.

aithne agam ar Don Marquis a bhí ag obair leis an *Sun*. Bhí togha na haithne agam ar Ring Lardner. D'iompraíos é chun an ospidéil tráth nuair briseadh a chos. Bhíos i mbun an chéad otharchóiste mótair i Springfield, Mass., an t-am sin. Tháinig seisean ann ag breathnú ar chluiche baseball. ... D'fhéadfadh Runyon suí síos ag an gclóscríobhán, toit a dheargadh, a bhóna a scaoileadh agus luí isteach ar obair. D'fhéadfadh sé aon ní a dhéanamh'.

Bhíodh aistí agus litreacha á scríobh ins na páipéir ag Muiris, amannta féna shloinne féin, amannta fén ainm chleite 'The Irish Western Rover'. Tá aiste i measc a pháipéirí fén gceannteideal: 'Conscription in Ireland certain to meet with failure — Kavanaugh/Rakes W.H. Taft over the coals'.

MUIRIS AGUS JACK DEMPSEY

An oíche i 1927 a bhí an dornálaí Jack Dempsey le Jack Sharkey a chomhrac, thionlaic Muiris foireann bháire Chiarraí agus a gcomhluadar, tríocha duine ar fad, go dtí Óstán Belmont mar a raibh Dempsey ag cur fé, agus d'iarr sé ticéadaí dhóibh ar an ndornálaí, rud a fuair le fáilte. Ina dhiaidh sin, ina cháil mar thuairisceoir spóirt, bhí suíochán aige féin i gcóngar an stáitse dornála nuair a troideadh babhta an chomhairimh fhada idir Dempsey agus Gene Tunney. Bhí an scríbhneoir Ring Lardner ina shuí in aice leis, mar cuid dá ghairmsean ab ea cúrsaí spóirt a mheas agus a bhreithniú. Sé tharla an oíche sin gur bhuail Dempsey palltóg ar Tunney sa tseachtú rabhaind a shin é. Thosnaigh an comhaireamh gur lean go dtí a seacht. Thug an réiteoir fé ndeara ná raibh Dempsey ina chúinne féin mar ba cheart dó. Thug sé ordú dó a chúinne féin a bhaint amach. Dhein Dempsey amhlaidh agus thosnaigh an comhaireamh arís ar a haon. Thug sé sin spás do Tunney teacht chuige féin agus buaileadh an clog do dheireadh an rabhaind. Chaill Dempsey an chluiche. B'eisean rogha Mhuiris chun buaite, gan dabht. 'Cén dícéille a bhí air' ar seisean go míchéatach le Ring Lardner, 'bhí an bheilt ina ghlaic agus chaith sé uaidh é'. 'Kav,' arsa Lardner, 'ná cuir geall choíche ar chéibhfhionn, capall ráis — ná dornálaí'. Dornálaithe eile ab aithin do Mhuiris ab ea John L. Sullivan agus Mike McTigue. Fuair a chara páirte Jack Dempsey bás tús Meithimh na bliana 1983.

GAIRMEACHA ÉAGSÚLA

Cén duine i gceird na hoirfide nárbh aithin do Mhuiris? Dob é Muiris cara cléibhe Al Jolson. Cúram a bhí air tráth bheith ag féachaint i ndiaidh scríbhinní ceoil Victor Herbert. Chuir sé dúthracht speisialta le leathantas a thabhairt do shaothar Victor Herbert ins na Stáit ó bhí seisean taobhach go láidir le cúis na hÉireann le linn an chéad chogaidh mhóir.

Tá scéal Mhuiris curtha síos go comair i dtuairisc san 'Portrait Gallery' in *Irish Times* an 8 Deireadh Fómhair 1955 agus ós deimhin gur uaidh féin a fríth an t-eolas ní miste a mheas gurb é seo insint a scéil mar b'áil leis féin é. Iriseoir, file, cumadóir amhrán, oifigeach caidrimh phoiblí do Mhetro-Goldwyn-Mayer, aisteoir stáitse agus scannáin, bainisteoir amharclainne, craoladóir, fear fógraíochta, b'shin iad gairmeacha Mhuiris. D'fhág sé a bhaile dúchais in aois a cúigdéag le dul go Meirice ach le hintinn saighdiúireachta d'fhill sé dhon taobh so arís le dul i bhfórsaí na Breataine chun na Fraince. (Is í seo an t-aon fhoinse amháin fém umhail ina bhfuil an t-eolas áirithe sin luaite.) Ar an gcogadh a bheith críochnaithe thug sé turas gairid ar a bhaile dúchais agus ina dhiaidh sin shiúil sé amach arís go fairsing ar fud na gcríocha, go háirithe faid agus leithead na Stát Aontaithe. Chruinnigh sé cairde i ngach ball. Ceann dá dhualgaisí móra bheith ar an mbealach chun tosaigh ar De Valera ar fud na Stát ag déanamh fógraíochta ar a shon.

'Nuair a bhí Éamon de Valera ins na Stáit bhíos-sa ar dhuine dá lucht garda cé ná raibh fhios aige féin é san am. Sin é an t-am a bhí sé ag bailiú airgid don Phoblacht. Bhinn-se ina dhlúth-chóngar ó chathair go cathair agus m'arm 0.45 i dtaisce fém uillinn agam. Tamall im fhear saothair dom, tamall ag tiomáint otharchóiste. Dheineas cúrsa ar scoil oíche san iriseoireacht agus sa chaidreamh poiblí. Tháinig dom ansan bheith im fhear poiblíochta do Victor Herbert, fear go raibh tarrac an phobail air an t-am san.'

Sin iad cuimhní Mhuiris óna bhéal féin, nó i bpeannaireacht a láimhe, mar atá siad curtha in eagar ag a chara Liam Robinson in *Express* an Domhnaigh 27 Samhain 1966.

'Ó DHÚN CHAOIN MO THRIALL-SA LE CÚRAM TÚ A MHEAS
DO BHAN-FHOIREANN ZIEGFELD, ARDTHAIBHEOIR NEW YORK'

'Ráinig dom ansan bheith im expert ar chailíní maisiúla. Tháinig bainisteoir na Ziegfeld Follies isteach san oifig chugam lá amháin agus ar seisean "A Mhuiris, bíonn tusa ag taisteal a lán agus ní foláir nó castar cailíní draíochtúla ort. Cumá ná hoibreofá dúinne agus cailíní a chur fé mhargadh do na taispeántaisí seo againne". Mar sin shiúlaíos Broadway amach le conradh luachmhar im phóca agus cead saor tarrac as cuntas gan choimse. Deirimse leat gur bhreá an post é'.

Cárbh iongna a shúile a bheith ag rince? D'inis Muiris an eachtra chéanna ar Thelefís Éireann i mbliain a 1962 nuair a bhí sé faoi agallamh ag Raghnall Breatnach agus bhí an greann ag rince mar an gcéanna ina dhá shúil. Áibhéil? Cumadóireacht? Má ceaptar gurbh ea, tá comharthaíocht a mhalairt sa litir seo atá i measc scríbhinní Mhuiris, fé láimh 'Eddie', agus is dóigh gurbh é a chara Eddie Dowling, fear a bhíodh i bpictiúirí reatha, a scríobh.

Special Messenger Service.

M.J.K.   Shubert Theatre Inc.
Press department   Casting Department

Dear Kav,
   I had no time to speak to you over the phone today. Say old pal I wish that you were at the party last night with us. We had some sweet 'Chourines' from two of our own shows and about 5 from '3 Cheers Co.' What a night we had. Your friend MISS CANADA OF 1927 looked the thing amongst the girls. She sure thinks a lot of you for what you have done for her in getting her in with Will Rogers in 3 Cheers. I forgot to ask you to take measure of your friend Miss Scott, the usual measurement, as there is an order up for strict form. This is because of the vast amount of girls that are looking for work this year.
   But you know how we take care of the line when it comes to the casting date. Oh, I nearly forgot to tell you that I am going to Boston next week and would like to get a note from you to Miss Keenan, with HIGH ROAD CO. Even though that I placed her I am not the kind to take advantage and knowing that she is a friend of yours, but you know if she is a good sport.

                                       Eddie.

Tá freisin foirm (gan líonadh) ann fén gceannteideal *Princess Theatre Attractions — Film Production Department* agus is é toisc na foirme ná cuntas beacht a thabhairt ar phearsa mná fé thuairisc aoise, airde, meáchain, dath gruaige, súile, ucht, com, náisiúntacht, 'wardrobe', taithí agus a thuilleadh, agus í a bheith 'recommended by' pé duine a bheadh á moladh chun an bhirt, agus ní miste a mheas, má bhí foirmeacha dá shórt i seilbh Mhuiris, gurbh é a ghnó meas a thabhairt ar an ainnir agus a foirm tuairisce a líonadh dá réir.

AN CINSIRE SCANNÁN

Fear eile go raibh Muiris ag gníomhú ar a shon ab ea Gerald Griffin. Tá conradh i measc scríbhinní Mhuiris fé dháta 1 Meán Fómhair 1921 idir Maurice Kavanaugh agus Gerald Griffin ag daingniú socruithe eatarthu. An conradh áirithe sin, thagair sé do léiriú a thabhairt ar dháta 15-9-1924 san Princess Theatre, Montreal, Canada agus tá faid mhór ann de choinníollacha priontálta. Tá an tuairisc seo ar bharr an chonartha:

The International Singing Star
GERALD GRIFFIN
in his great comedy success of two continents
"THE ROSE OF KILLARNEY"
by Ralph Thomas Kettering
Hear Griffin sing his enchanting melodies

Tá trácht ag Dan Burns sa litir thuas i dtaobh Mhuiris do chur bac ar lucht léirithe an phictiúra 'Kathleen Mavourneen'. Tugann Muiris a chuntas pearsanta féin ar an mbeart san in aiste d'fhoilsigh sé ar an bpáipéar Domhnaigh The People (Londain) fé dháta 25 Nollaig, 1955. Tharla dó a bheith dealbh i Nua-Eabhrac. D'aistrigh sé go Boston mar a bhfuair sé obair ag tiomáint tacsaí. Ghlac sé a ionad sa reainc tacsaíthe lasmuigh den Ósta Commodore. Tháinig doirseoir an ósta chun cainte leis, fear de shloinne Uí Eadhra ó Thiobraid Árann, agus chomhairligh dó páirceáil taobh thall de shráid os coinne an tí ósta, balcaisí chauffeur a chur uime agus ligint air gur thiománaí príobháideach daoine uaisle é. Dhein Muiris amhlaidh, sheol Mac Uí Eadhra go leor lucht saibhris ina threo as an ósta, ag scairteadh anonn air 'Your party's ready'. Bhí ag éirí go maith leis mar thiománaí tacsaí. Is geall le heachtra as scéal sí an chéad mhír eile d'imeachtaí Mhuiris.

Bhí sé díreach tar éis paisinéir a ligean amach lasmuigh d'Ollscoil Bhoston nuair a tháinig teachtaire chuige a thug nóta dó á iarraidh air dul go dtí siopa stóir Uí Éigeartaigh, fear a bhí tábhachtach sa chathair. Chuaigh amhlaidh agus chuir lucht freastail an stóir na héadaí ab fhearr a bhí san áit uime, mar sin é an t-ordú a fuaireadar. Dúradh leis dul go háit áirithe agus go dtiocfadh daoine ina choinne. Chuaigh agus an oíche sin tháinig gasra de Ghaeil Bhoston chuige agus dúradar leis: 'Bí-se id chinsire scannán'. An cúram a chuireadar air ná beart a dhéanamh chun pictiúirí a bhí maslach d'Éirinn a chosc nó a chur fé bhoycott agus gheobhadh sé tacaíocht chuige sin ó Éireannaigh na tíre. Bhí an pictiúir 'Kathleen Mavourneen' á

Sean-cháirde Marlene Dietrich agus Muiris ag Aerfort Bhaile Átha Cliath, Deireadh Fómhair, 1967.

dhéanamh ag dream dárbh ainm Independent Films agus tuigeadh go raibh rudaí tarcaisneacha ann. Bagraíodh boycott air. Cuireadh Muiris i seilbh oifige i Nua-Eabhrac ina ghairm mar chinsire nó fear scrúdaithe scannán. Tháinig eagla an bhoycott ar lucht déanta 'Kathleen Mavourneen'. Réitíodar le Muiris teacht agus an leagan tosaigh de a scrúdú chun aon rud díobhálach a bhí ann a scothadh as. 'I took the fairies out of old men's ears. I took the ribbons off the pigs and the pigs out of the parlours. I shot down drunken Paddies trailing their coats on the road. I left the shamrocks and most of the blarney. And 'Kathleen Mavourneen' hit the screen minus a lot of whiskey, a lot of shillelaghs and a lot of blood'.

Bhí Marie Dressler sa phictiúir sin agus tháinig sí go dtí Muiris ag craitheadh láimhe leis de chionn is gur thug sé feabhas chomh mór san a bheith ar an bpictiúir. D'éirigh le hiarrachtaí eile Mhuiris chun bail níos fearr a chur ar phictiúirí a bhain le hÉirinn. Ba ghearr, arsa

Muiris, gur chuir an oifig seo againne ár gcuid aisteoirí féin chun tosaigh i dtionscal na bpictiúirí agus deirimse leat ná raibh a sárú ann, leithéidí Rex Ingram, Pat O'Brien, J. M. Kerrigan, Wanda Hawley, Colleen Moore, Ruby Keeler, Beatrice Joy, Dorothy agus Lilian Gish.

SAOL SULTMHAR BHROADWAY

Ainmneacha! Aos ceirde, lucht oirfide, lucht siamsa, bhí aithne ag Muiris orthu go léir. Comhluadar iad ná raibh deoranta dhó, cuideachta ar a mhéin, daoine a bhí i mbéal an phobail, a n-ainmneacha á bhfoilsiú ar chláir shoilsithe in aghaidh na hoíche. De réir mar bhíonn ár n-iontas ag méadú fiafraímid arís agus arís, an mbíonn áibhéil i dtuairiscí Mhuiris? Nó samhlaíocht? Bhí samhlaíocht ann mar dhuine gan aon agó, agus is dána an fear a déarfadh go bhfuil an tsamhlaíocht agus an fhírinne i gcontrárthacht dá chéile nuair a bhíonn an duine iomlán á mheas. Scag a shamhlaíocht ó dhuine agus ní duine feasta é.

Ach ní samhlaíocht an litir seo, ar pháipéar leis an gceannteideal *Success Magazine,* Graybar Building, New York, leis an dáta 29 Iúil 1927:

Dear Mr Kavanaugh:
Because of the space devoted in *Success Magazine* to the theatre, its people and its productions, you may want to send our editorial department tickets to your important new plays.
Please address them and any other communications, including photographs and publicity material, to A.C.G. Hammesfahr, President of *Success Magazine.*

Sincerely yours,
(Signature) A.C.G. Hammesfahr

Tá an nóta seo i láimh Mhuiris ar an litir: The Good Old Days of Broadway and its Gay Life.

FOCAL BUÍOCHAIS

Ná ní ceapadóireacht an litir seo:

COUNTY COURT CHAMBERS
KINGS COUNTY
120 Schermerhorn Street
BROOKLYN, N.Y.

Algeron I. Nova
County Judge

April
Twelfth,
1928.

Mr. M. Kavanaugh,
236 West 15th Street,
New York, N.Y.

My dear Mr Kavanaugh:

Supplementing a conference with our mutual friend Ralph Long, I am writing you, as President of the Brooklyn Hebrew Orphan Asylum, to assure you of my grateful appreciation of your kindness in placing at our disposal the services of that brilliant tenor, Mr Scanlon, on the occasion of the Golden Anniversary Celebration of the Brooklyn Hebrew Orphan Asylum.

The seven hundred little girls and boys join with me, and the Board of Trustees, in thanking you most heartily for this very generous spirit, and I wish to assure you that your kindness in the matter will long be remembered.

If you will be kind enough to indicate the hour and place, I shall be happy to place my car at the disposal of yourself and Mr Scanlon.

With reassurances of our appreciation of your kindness, I remain

Very truly yours,
A. I. Nova.

MINSTREL?

Scéala as an *Lynn Telegram* fé dháta 26 Meitheamh 1921 go mbeadh coirm cheoil agus oirfide á chur i láthair san Waldorf Theatre i Lynn, Massachusetts, a bhí á sheoladh ag lucht taca shaoirse na hÉireann a bhí bainteach leis an *American Association for the Recognition of the Irish Republic*. I measc na n-oirfideoirí tá trácht ar

'Mr Kavanaugh, better known as Conway O'Connor, is a well-known minstrel and a fluent Gaelic speaker. He has played parts in several Irish dramas of the past' agus más sin é Muiris seo againne sin sloinne nua dhó agus is gairm sa bhreis dó bheith ina mhinstrel, ach duine ildánach ab ea Muiris agus níorbh aon nath leis dreas ar cheird dá shórt. Chomh maith le bainisteoireacht thugadh sé seal le haisteoireacht. Tá a ainm curtha síos mar aisteoir san 'Blarney Stone' i gceann de léiriúcháin Walter Scanlan i mBinghamton, N.Y. 'Manager George M. Gatts has equipped his clever young star with an excellent supporting company and among the players are Helen Smith ... and Maurice Kavanaugh'.

CATALPA JIM

Tá grianghrafanna i measc pháipéir Mhuiris a thóg sé i New Haven tuairim 1917 de leacht chuimhneacháin James Reynolds, úinéir cláraithe na loinge seilge *Catalpa* a chuir Clan na Gael amach go Fremantle in iarthar na hAstráile i 1876 chun seisear cime Éireannach a thabhairt slán ó ghéibheann. An Captaen Henry C. Hathaway a bhí i gceannas na loinge. Deir Muiris i litir go dtí Terry O'Sullivan, iriseoir ar an *Evening Press:* 'Bhuaileas leis an gCaptaen Hathaway féin ina sheanduine dhó, agus freisin le beirt iníon John Boyle O'Reilly. Bhí duine acusan an-chosúil lena hathair ach ní raibh an spéis ba lú ag an mbean eile acu in Éirinn. Tá cros Cheilteach os cionn uaighe an fhir a chuaigh in urrús do cheannach an *Chatalpa.* Is iomdha turas a thugas ar a uaigh le linn na mblianta fada a chaitheas ins na Stáit. James Reynolds ab ainm dó'. I New Haven freisin a bhí cónaí ar an gCaptaen Larry O'Brien ó Thiobraid Árann a bhí san eachtra i Manchain i 1867 tráth a saoradh Kelly agus Deasy as an gcóiste príosúin agus gur maraíodh an Sáirsint Brett, agus chuala Muiris tuairisc ar ghníomhartha an lae sin ó bhéal Larry O'Brien féin.

CRÍOCH GNÓTHA LE WALTER SCANLAN

Tá a lán tuairiscí poiblíochta i measc scríbhinní Mhuiris ar Walter Scanlan, 'The celebrated Irish tenor ... the leading tenor in Victor Herbert's opera "Eileen" ', agus is comhartha iad gur dhein Muiris a ghnó le héifeacht ar son an Scannlánaigh. Bhí sé ina fhear poiblíochta aige, is dóigh, go dtí 1929. De réir *F.F. Proctor's Theatre News Weekly* 26 Bealtaine 1929, duilleog nuaíochta ar chúrsaí siamsa atá i measc pháipéir Mhuiris, bhí Scanlan le bheith i mbun oirfide in Amharclainn Phroctor, 58th St & 3rd Avenue, Nua-Eabhrac, ar feadh na dtrí lá, 30-31 Bealtaine agus 1 Meitheamh. 'Since Mr

Scanlan is sailing to Europe in June for a concert tour, this will be his last appearance in this country for some months'.

B'fhéidir gur leis an linn chéanna sin a bhaineann an blúire nuaíochta ar scothán páipéir, gan dáta, a deir go bhfuil Maurice Kavanaugh, a former Holyoke boy, secretary to Walter Scanlan, the famous Irish tenor, faoi chóireáil leighis ag dochtúirí le cúpla lá, gur ceapadh ar dtúis go raibh a chás go holc ach gur cuireadh i bhfios dó nár ghá bheith imníoch. 'Mr Kavanaugh stated to-day that he considered Mr Scanlan as the logical successor to John McCormack. He has signed a contract with Eddie Dowling, now starring with Sally, Irene and Mary and expects that this will be his last season with Mr Scanlan'.

B'fhéidir gur iarracht de thrioblóid ghoile a bhí ag imirt ar Mhuiris, rud nárbh iongna, mar bhí bráca agus teannas ag baint leis an saol a chleacht sé. Tá an méid seo ráite aige i mblúire de litir (gan dáta) a scríobh sé go cara i bhfad ina dhiaidh sin:

I was fishing lobsters with my uncle 1929 and 30. It seems like ages ago. I arrived from the States 1928, and had a touch of ulcers, but thank God the fish diet did away with them.

Bhí dearmad ar a chuimhne i dtaobh 1928. I 1929 a tháinig sé ar ais go hÉirinn.

AR AIS INA PHARÓISTE DÚCHAIS

Sa mbliain 1929 bhí sé beartaithe ag ban-údar Meiriceánach, nach fios a hainm, agus ag cara léithi a bhi oilte ar sceitsphictiúirí a tharrang, turas na hÉireann a thabhairt 'de chois nó d'automobíl', feadh ocht nó deich seachtaine, ag cruinniú abhair le haghaidh scríbhneoireachta a foilseofaí i bpáipéir Mheirice. Bhí sé ceaptha acu seoladh an 30 Bealtaine. 'Our guide and business manager is to be Mr. Maurice Kavanaugh who is thoroughly familiar with the Irish countryside, and who through years of work in the United States as advance man for Victor Herbert, John McCormack, Fiske O'Hara, Walter Scanlan, and others, knows American newspaper needs and will be of great help in guiding us off the stereotyped routes followed by tourists'.

Níor tháinig a thuilleadh eolais fá m'umhail i dtaobh an turais sin ach sin í an bhliain a tháinig Muiris abhaile ó Mheirice. Nuair a bhain sé amach oileán na hÉireann an 7 Meitheamh 1929, Meiriceánach ab ea é ó thaobh dlí, rud a chuir d'oibleagáid air, faoi ordú oifigiúil dar theideal *Aliens Order*, tuairisc a thabhairt air féin san *Certificate of Registration*. Thóg sé amach an Deimhniú sin sa Daingean an 26 Márta 1930. Seo iad na blúirí eolais atá curtha síos air:

Nationality: American Citizen

Born on: 28 March 1894

Previous Nationality (if any): Irish

Profession or Occupation: Journalist

Address of Residence: Dunquin, Dingle, Co. Kerry

Arrival in Saorstát
Éireann or Great Britain on 7 - 6 - 29

Address of last Residence
outside Saorstát Éireann 66 Chestnut
or Great Britain Hartford, Connecticut

Government Service: No

Passport or other papers as to Nationality
and Identity

American Passport No 63213
Cert of Naturalization 1363105

CUID II

KRUGER AGUS A RÉ

Conas gur shocraigh Kruger síos i Leithinis Chorca Dhuibhne sa chliathán tíre b'iartharaí in Éirinn tar éis dó bheith cleachtach ar réimsí fairsinge fada an Domhain Úir? Cheapfadh duine b'fhéidir go raibh an líomatáiste ró-chúng agus iata isteach d'fhear a bhíodh ar na bóithre cuairdiúla ó Nua-Eabhrac go cathracha éagsúla na Stát feadh na mblianta. Beag mór an spás níor chuibhreann é ar Khruger. Dob é Dún Chaoin a pharóiste dúchais, áit a raibh gaol agus cóngas ina thimpeall, fara le saol agus aeráid a bhí socair sláintiúil. Bhíodh sé le rá aige i gcónaí gur sa pharóiste ba ghaire do Mheiriceá a bhí staidéar air. Ní raibh sé riamh scartha ina aigne ón áit thall. Fear dhá shibhial-tacht ab ea é. Thug sé leis go Dún Chaoin cuid de dhrámaíocht an Domhain Úir, ina ghothaí, ina líofacht urlabhra, ina iompar neamh-spleách, ina imeacht pearsan, sa tslí nuair a thagadh sé i measc cuideachta gur bhraithis duine ar leithligh a bheith i láthair. Dob é a ghuth agus a chanúint an sás a tharraing do spéis. Subháilcí cluaise is ea iadsan nach féidir breacadh i ndubh ná dath. An t-orgán daonna as a dtáining siad, cheol sé agus d'imigh a bhriocht san aer. In aimsir struis bhí béic tairbh aige. Chonac tráthanna é agus faghairt ina shúile. Ócáidí báire ab ea iadsan agus maitear a leithéidí. Ní raibh beann dá laghad aige ar éinne. Ní raibh aon scáth air bheith bunoscionn leis an dtréad. Níor chuir sé fiaradh ná malairt ar a chleachtadh, ná laincis ar a phearsantacht, d'fhonn é féin d'fhoilsiú in aon riocht eile ach ina thréith neamhspleách féin. Sin tábhacht mhór a bhain leis.

Bhí bunús fírinne sa chaint go raibh Dún Chaoin, agus na paróistí ina chóngar, gairid do Mheiriceá. In Iarthar Chorca Dhuibhne san am san, toisc gur beag teaghlach ná raibh duine nó breis as thall, ba mhó a bhí meon daoine leagtha ar Mheiriceá ná ar Bhaile Átha Cliath. Is fánach tigh ina bhfaighfí radharc ar pháipéir laethúla Bhaile Átha Cliath. Cheannódh múinteoir nó sagart paróiste nó óstóir a leithéid. Thagadh an *Kerryman* uair sa tseachtain. Is fairsinge go mór a bheadh léamh ar an *New York Daily News,* nó an leagan Domhnaigh de, a bhíodh lán de phictiúirí spóirt agus de léamh éasca, mar chuireadh ne gaolta thall abhaile é ina bheartanna, fara leis na leathanaigh daite le scéilíní grinn ar a dtugtaí na 'Funnies'. Bhíodh eolas agus comhrá in Iarthar Dhuibhneach ar Jack Dempsey, Gene Tunney, Jack Sharkey, Jack Delaney, Jimmy McLarnin agus dornálaithe nach iad. Chuir daoine spéis in éachta Bhabe Ruth agus Joe Dimaggio agus in iomaíocht Giants agus Yankees. Bhíodh comhrá ar chás truabhéalach Sacco agus Vanzetti. Bhíodh ceantair Mhanhattan chomh minic sa chomhrá le sráideanna an Daingin, agus caint choitianta ar an mBowery, Bronx, Brúclinn agus Yonkers.

Ní raibh éinne a chaith tamall i Meirice nár thug leis abhaile ar theacht dó cuid de bhlas agus d'iarsmaí na háite thall agus níor thaise do Khruger. D'fhéadfadh go raibh baint aige leis an léiriú ar *Maytime in Erin* ag cuallacht drámaíochta Naomh Muire sa Daingean, dráma grinn le Edward E. Rose, an chéad léiriú riamh air a deineadh in Éirinn. Ba mhinic léirithe i Meiriceá é, agus a phoiblíocht mar chúram ar Khruger, agus is áirithe go raibh spéis aige i léiriú an Daingin, mar tá an clár[1] i measc a scríbhinní.

1.

St. Mary's Dramatic Society, Dingle
presents
Ireland's Premiere Production
of
"MAYTIME IN ERIN"
Comedy Drama in Three Acts
by Edward E. Rose
Dramatis Personae

Corney Bray	Fintan Morris
Molly Flynn	Teresa Sheehy
Mrs. Lucy Murray	Bridie Donnelly
Harlow Kenzar	Teddy Sullivan
Timothy McBride	Noel Mahony
Miles O'Dowd	Thomas McLoughlin
Jack Nolan	Michael Begley
Patricia O'Neill	Pat Gibbons
Shaw O'Neill	Henry O'Shea
Associate Producers	Mr. Patrick Ryle
	Mr. Teddy Sullivan

Stage manager	Mr. Michael Quirque
Asst. Stage managers	Mr. James Connor
	Mr. Gerald Fox

Act I
Miles O'Dowd's yard in Ballybane, County Kilkenny on a fair Summer day.
Two weeks elapse.
Act II
Scene I. The Living Room in Miles O'Dowd's home. Curtain drops to indicate the lapse of two hours.
Scene II. The Same.
Act III
The Living Room — An hour before dawn
Time: The present

Officers and Committee
of St. Mary's Dramatic Society.
Patron and President: Very Rev. Canon Lyne, P.P., V.F.
Chairman: Rev. Brother White.   Hon. Treasurer: Mr. James O'Connor
Vice Chairman: Rev. Fr. McMahon, C.C., Hon. Secretary: Mr. Thomas McLoughlin.
          Mr. Henry O'Shea.   Musical Director: Mrs. J. Gibbons.
Committee: Miss B. Donnelly, Messrs. M. Begley, M. Quirque and N. Mahony.

In Árus an Uachtaráin.

AN BÁIREOIR

I gcúrsaí báire is túisce agus is tionsclaí a chuir Kruger é féin in iúl ar theacht thar n-ais dó. Sin spéis a bhíodh aige thall chomh maith, agus tá cuid mhaith pictiúirí ann a thaispeánann é i gculaith imeartha i bhfoirinn Hartford. Toisc ard-fhoireann báire a bheith ag Ciarraí i rith na mblianta 1929—1932 chuaigh a mbuanna san i bhfeidhm in iarthar Chorca Dhuibhne dála gach áit eile sa chontae. Chonac Kruger ag imirt i gcéaduair sa chomórtas d'fhoirne Chorca Dhuibhne ar a dtugtaí an West Kerry League. Ar na foirne a bhí páirteach ann bhí Paróiste an Fhirtéaraigh, an Daingean, Lios Póil, Abha na Scáil, an Cam agus an Chill. Roghnaítí imireoirí Pharóiste an Fhirtéaraigh ón bparóiste eaglasta, is é sin, an paróiste féin, Dún Chaoin, Márthain, Paróiste na Cille agus Paróiste Mórdhach (nó an Cuas). Ghlac Kruger ceannas áirithe ar na cúrsaí báire sin. Treoraí den scoth ab ea é, tréan i gcomhairle, líofa ar chruinnithe eagrúcháin, údarásach ina thuairim, ar fheabhas an domhain chun misneach a bhunú. Bhíothas toilteanach géilleadh dá chomhairle agus dá bharúil. Sa chúl a bhíodh sé féin ag imirt, nó 'idir na maidí, nó 'sa bháide' mar a deirtí i gcanúint na háite. Dhá phola a bhíodh mar chúl agus go minic gan aon mhaide trasna eatarthu, ach blúire théadáin. Uaireanta ní bhíodh na maidí féin ingearach as an talamh. Tráthanna do húsáidtí dhá mhaide rámha mar pholaí cúil. Ní bhíodh aon tsaighne feistithe orthu. Ní fheaca riamh saighne mar chuid d'fhearas an bháide in aon imirt in iarthar Chorca Dhuibhne. D'fhágadh san go mbíodh argóintí teasaí i dtaobh cé acu ar ghaibh an chaid laistigh nó lasmuigh den bpola. Ní bhíodh an téadán sásúil mar theora uachtair mar is minic a bhí lag ann lárslí agus bhíodh argóintí á leanúint sin. Ní raibh de bhuntáiste leis go stopfadh sé an liathróid mar a dhéanfadh maide trasna ceart. Bhí sé ina riail, dá mbuaileadh an liathróid ar mhéireanna an té a bheadh ag síneadh suas chun í a stop, gurbh shin báide. Uaireanta ní bhíodh an téadán féin ann agus bhíodh tuilleadh aighnis. 'Báide eile gan aon áiteamh' nath cainte a bhí coitianta sa cheantar.

DATHANNA IOMADÚLA

Ní bhíodh aon dath foirne áirithe ar gheansaithe na n-imireoirí, ach a gheansaí féin ag gach duine ar a dhath féin, buí nó gorm, cuid acu le fonnsaí, cuid le dath na gcoláistí léinn ar a mbíodh imreoirí ag fáil scolaíocht, mar bhíodh go leor 'coláisteánach' ag imirt, agus bhíodh nath cainte timpeall, nuair a dhéanadh duine acusan calaois, 'coláisteánach eile!', ar an abhar gur measadh dóibhsean a bheith ar chaighdeán iompair os cionn an lucht baile. An té go raibh geansaí uaine aige le fonnsa buí ina thimpeall, dathanna Chiarraí, ba mhór an mórtas dó e. A leithéid sin de gheansaí a bhí ag Kruger. Ba bhreá an deilbh fir é sa chulaith imeartha. B'aoibhinn leis an drámaíocht a bhain le siúl amach ar an bpáirc. Bhí cuid de Mheiriceá agus cuid d'Éirinn ina ghluaiseacht. Cabhail daingean leathan air ó chromán go cromán, é i gcosúlacht, mar shaoileas, leis an lánchúlaí deas ó Chill Airne a bhí ar fhoirinn Chiarraí, D. Connor. Fear tréan a bhainfeadh ó talamh é. Ní fheaca Kruger riamh tógtha ó thalamh, ach is sa chúl, nó sa bháide, d'imríodh sé toisc ná raibh sé chomh mear as na cosa an t-am san agus bhíodh nuair d'imir sé le Hartford.

Dob í an chéad uair a chonac Kruger ag imirt, agus is dóigh liom an chéad chluiche inar imir sé, ná cluiche chomórtais idir Paróiste an Fhirtéaraigh agus Lios Póil i Léig Chorca Dhuibhne. Bhí togha na gcúig paróiste ag imirt fé ghairm Pharóiste an Fhirtéaraigh, báireoirí den chéad scoth ar aon pháirc, Seosamh Ó hUallacháin a fuair céim easpaig agus a dheartháir Mícheál, Seán Mac Gearailt ón bhFeothanaigh, Pádraig Firtéar os na Cluainte, Peadar Ó hUallacháin ó Leataoibh. Bhí triúr fear calma de chlann Gealbháin ar fhoirinn Lios

Póil. Dob é an tAthair Pádraig Mac an tSaoir ó Bhaile Beag Cheanntrá, a bhí ina shagart cúnta i mBaile an Fhirtéaraigh, an réiteoir. I bpáirc le Séamus Mac Muircheartaigh laistíos de chrosaire Bhaile an Fhirtéaraigh do himríodh. Sárchluiche ab ea é ó thús go deireadh.

Bhí Kruger sa bháide agus comhairle á thabhairt aige in ard a ghutha dá fhoirinn, 'fear ar fhear!', 'teann isteach air!', 'lasc!' nó gur tháinig ciach ar a ghlór. Barúil eile a thug sé uaidh nuair a bhí pointí flúirseach go maith á n-aimsiú os a chionn ag Lios Póil — 'Pointí atá ag dul isteach, níl na half-backs ag obair i gceart'. Lárslí tríd an tarna leath tharla babhta an-dhian imeartha i mbéal báide Khrugeir, imireoirí ina mbulc ag guailleáil is ag trascairt, nuair a tháining amus den chaid ná raibh ró-luaimneach amach as an mbulc i dtreo bháide Khrugeir agus gur chuaigh isteach, díreach laistigh den mhaide chlé, gan choinne ar domhan. D'fhéach an lánchúlaí clé, báireoir lúfar de mhuintir Uallacháin ón Leataoibh ar a dtugtaí Muaraí, d'fhéach sé timpeall agus do labhair le Kruger go mícheatach, 'Canathaobh nár shárais é sin?', ach i ndáil dá leithéid ní raibh Kruger riamh gan freagra prap, 'Conas d'fhéadfainn é shárú? Ná feacaís an garsúinín ansan sa tslí orm!', agus bhí go deimhin, garsúinín agus beirt agus triúr i gcóngar an mhaide agus fógraíodh dóibh druideam amach as an tslí. Seachas san áfach, bhí cruinniú maith daoine laistiar den chúl (bhí fear scríofa na tuairisce seo ann) agus bhí cuid acu a shaoil gurbh ámharach mar a fuair Lios Póil cúl. Tamall ina dhiaidh sin shábháil Kruger iarracht an-dhian a tháinig fána dhéin. Ní haon laghdú é ar cháilíochtaí breátha Mhuiris in rá ná raibh sé gan locht ag cosaint báire. Críochnaíodh imirt an lae sin ar scór cothrom. Bhain aighneas nó amhras le scór éigin ina dheireadh ach thug an réiteoir buntáiste na breithe do Pharóiste an Fhirtéaraigh.

Ba mhór ab fhiú Kruger a bheith ar an bhfoirinn mar tharraing sé aird agus poiblíocht agus mhéadaigh ar lucht féachana agus leanúna dá chionn. Tamall ina dhiaidh sin bhí sé ag imirt sa Daingean, sa pháirc imeartha taobh thall de bhóthar ón stáisiún traenach, sa chúl dó mar ba ghnáth, agus é ag comhairliú uaidh amach go hard agus go feidhmiúil. Ba bhreá leis na hócáidí sin. Bhí mianach an fhir seoigh ann, sa chéill Mheiriceánach go raibh sé ar fheabhas chun fógraíochta agus suim an tsaoil a tharrac ina cheann. Chruinnigh an lucht féachana go léir laistiar dá bháide, óg agus fásta. Ar leath-am d'aistrigh Kruger síos go dtí an cúl eile agus lean an slua é, eisean i ngeansaí Chiarraí chun tosaigh mar a bheadh taoiseach i gceann slógha, aonach mór de phobal féachana ina dhiaidh aniar. Níl cuimhne ar cé acu taobh a bhuaigh. Ní raibh sé tábhachtach. Ba le Kruger an lá. Am éigin ina dhiaidh sin cuireadh eagar nua ar chúrsaí caide in Iarthar Chorca Dhuibhne. Bunaíodh comórtas nó léig na Gaeltachta agus do heagraíodh foirne paróiste, sé cinn acu, Paróiste an Fhirtéaraigh, Dún Chaoin, Paróiste na Cille, Cuas (Paróiste Mórdhach), Márthain agus Fionntrá. Ar mhaithe le báire b'fhearr go mór an socrú é. Mhúscail an léig sin spéis i gcúrsaí caide sa cheantar go léir agus bhíodh iomaíocht an-dhian idir na paróistí. Sin é an chéad uair riamh gur eagraíodh foireann báire dá chuid féin i bparóiste Dhún Chaoin agus dob é Kruger a bhí i mbun an ghnótha san. Is é an dóigh gur bhain sé sásamh ina chroí istigh as san seachas aon rud eile ina shaol. Ní raibh aon teora leis chun dúthracht agus misneach a mhúscailt agus is air go háirithe a bhuíochas gur fhéad paróiste Dhún Chaoin chúig dhuine dhéag a chur in eagar ar an bpáirc imeartha agus iad ábalta go maith ar chuntas a thabhairt orthu féin. I bhfeabhas a bhíodar ag dul le taithí agus ar ball ní raibh sé éasca ag aon cheann de na paróistí eile iad a chloí. Kruger a bhíodh sa bháide acu, agus b'eisean gan dabht a gcaptaein, treoracha imeartha á dtabhairt aige agus locht á fháil aige ar an bhfoirinn thall. 'Fág do chuid droch-chleas id dheabhaidh a chleithire!' agus a leithéid eile d'fhógairt nuair a thagadh corraí air. Ní thagadh teas ar Khruger riamh ach le linn báire. Is cuimhin liom Domhnach amháin gur imríodh cluiche an-dhian idir Dún Chaoin agus Paróiste an Fhirtéaraigh ar dhaoi Fionntrá, an chuid chothrom oscailte dhí a bhíodh mar láthair imeartha coitianta. D'iompaigh an tráthnona ceobháistiúil salach agus leis an liathróid a bheith sleamhain agus an fód imeartha ar an ndul céanna ní raibh sé furasta báire den scoth d'imirt, ná níor imríodh, ach bhí sé dian, dúr, neamh-ghéillteach eatarthu, Kruger ag spreagadh a chuid fear ón gcúl agus ag labhairt go barúlach borb ar lochtaí na foirne eile. Bhagair sé doirne nuair a bhí an imirt ag druideam isteach fána dhéin agus bhí aighneas. Níor críochnaíodh an imirt mar gortaíodh Domhnall Ó Catháin a bhí ar fhoirinn Pharóiste an Fhirtéaraigh agus b'éigean éirí as ionas gur fágadh díomá ar dhaoine i dtaobh gan toradh a shroichint.

Tá sé le rá go háirithe ná féadfaí foireann Dún Chaoin a ghlacadh go bog a thuilleadh tar éis Kruger a bheith ina gceannas. Chuir sé bail agus eagar ar bháireoireacht an pharóiste. Spreag sé na hóganaigh chun bheith muiníneach astu féin i gcomórtas agus tháinig iontu chun go dtarla ar ball gur de mhianach Dhún Chaoin cuid de na báireoirí ba chumasaí i gContae Chiarraí.

Easnamh ró-mhór a bhí ar lucht báire in iarthar Chorca Dhuibhne
ná raibh aon pháirc cheart imeartha acu. Bhí Dún Chaoin ró-fhada
siar chun aon chluiche comórtais d'imirt ann. Gheibhtí páirc ar
díolaíocht don lá imeartha. Amannta do himrítí ar pháirc lámh le
Bóthar na Beairice i mBaile an Fhirtéaraigh, lá eile i bpáirc i gCathair
Caoin, uaireanta eile ar dhaoi Ghallarois nó Fionntrá. An láthair
imeartha ba choitianta ná páirc le muintir Dhubháin ar na Cluainte
agus deineadh iarracht í sin a chur i dtreo chun ná beadh daoine ag
dul isteach ann gan díol. Bhíodh táille ar dhul isteach, réal nó scilling,
agus bhíodh fear sa bhearna á bhailiú agus beirt nó triúr lucht faire in
áiteanna eile ar imeall na páirce ag cur cosc ar dhaoine teacht isteach
gan díol ach ní raibh sé riamh deacair éalú isteach in aisce. Ar pháirc
na gCluainte is líonmhaire a bhíodh lucht féachana.
    Ceataí ró-mhór eile a bhaineadh leis na cluichí ná tosnaídís riamh
ag an am a bhí ceaptha dóibh. Bheadh fógraí suas ar fud na háite agus
trí nó leathuair tar éis a trí curtha síos orthu mar am tosnaithe ach ní
bhíodh daonnaí ar an bpáirc ag an sprioc-am ná go ceann uair an
chloig nó breis ina dhiaidh. Nuair a bhíodh dhá chluiche le himirt an
tráthnóna céanna bhíodh sé déanach go maith sa lá, agus na ba crúite,
fén am go mbítí críochnaithe. B'shin locht ar leagan amach an bháire
nár leigheasadh riamh, agus ghlac daoine leis mar rud ná féadfaí
ceartú.
    Seachas a bheith ag imirt bhíodh Muiris ina réiteoir ar chluichí agus
bhíodh sé ceannasach ins na coistí a dhéanadh leagan amach ar an
riar imeartha. Ba bhaolach teacht trasna air in argóint ar na cruinnithe
sin mar bhí sé an-líofa sa cháinteachán agus bhí daoine a fuair leadhb
uaidh. Ní móide go raibh oiread óganach riamh ag imirt sa mbáire in
Iarthar Dhuibhneach agus a bhí sa tréimhse sin idir 1930 agus 1935
agus ba mhór an onóir d'fhear óg bheith ar an bhfoirinn paróiste. Bhí
Muiris páirteach go dlúth in iomaíocht agus i mórtas na haimsire sin
agus aon chluiche inar imir sé bhíodh tarrac mór lucht faire agus
abhar cainte i ndeireadh an lae.

FEAR TÍ AGUS ÓSTÓIR

'Kruger's, at Dunquin, is a thing apart!'

—Elizabeth Nicholas, tuairisceoir turasóireachta don *Sunday
Times.*

Tá cáil ar Khruger mar mhúinteoir Gaeilge agus is geall le coláiste
beag a thigh cónaithe le mic léinn, státseirbhísigh, aisteoirí agus daoine

eile á foghlaim mar go mbeadh sí ag teastáil uathu ina gcuid oibre, a deir Olivia Manning ag trácht di ar an áit sa leabhar taistil *The Dreaming Shore.* Bhí sé cloiste aici gur bhinne is gur bharúlaí an comhrá cois tine istoíche tigh Khrugeir, gur ghaoisiúla an greann agus gur bhunúsaí an seanchas ná mar a haireofaí ins na hionaid chainte úd i mBaile Átha Cliath a bhfuil an cháil go léir orthu. 'Chreidfinn é', ar sise, 'ag éisteacht le Kruger, mar choimeádfadh seisean anamúlacht sa chuideachta fiú dá mbeadh gach éinne eile balbh. . . . Faid a bhí an bháisteach ag clagarnaigh lasmuigh, bhí an tae á ullmhú ag Kruger agus é ag caint leis, ansan tháinig a chéile mná isteach, bean chaoin uasal, séimhe agus cúirtéis ag gabháil léi mar is dual don mhuintir thiar. D'fhéach sise i ndiaidh na cuideachtan . . .'

Agus b'shin é Kruger, a bhíodh ar a sháimhín só agus saoirse i gcomhluadar na dtáinte ógbhan, pósta agus i mbun tís! Má tá rud amháin flúirseach i measc scríbhinní Mhuiris, is é go bhfuil neart pictiúirí ann do-bheir go soléir le tuiscint go raibh na hainnireacha ceanúil air, agus dar ndóighe go raibh a chomaoin croí de chion aigesean orthu, agus bheadh nóta beag ina láimh féin ag trácht uirthi seo nó siúd acu ar imeall pictiúirí díobh. Choinnigh sé an garda suas go cúramach, áfach, agus croí gan roinnt ná páirt phósta níor ghéill sé d'éinne acu. Ach tháinig an grá ina chomhair féin sa deireadh ina dhúthaigh féin. An bhean uasal dá dtug sé toil a chroí dob í Cáit Néill ó Bhaile Móir í, i bParóiste Chill Droman, agus tá scríbhinn láimhe leis ar phictiúir áirithe i dtaobh é féin, Kruger, a bheith tar éis a ghafa i saighne an phósta an 23 Meán Fómhair 1936. Ar phictiúir a tógadh lá na cóisire i mBaile Móir tá Cáit, Kruger, Máire Ghrainbhil agus Séamus de hÓra. Tá pictiúir eile a tógadh an lá céanna ná fuil ann ach na fir, an tOllamh Séamus Caomhánach a dheartháir, P. Mistéal, Tomás Ó Dálaigh, M. Ó Conchúir, M. Ó Dálaigh, Muiris féin, Seosamh de hÓra agus Séamus de hÓra.

Ón lá a shocraigh Kruger chun tís ní raibh sé uair an chloig díomhaoin. Soláthraí tionsclach ab ea é agus bhíodh birt éagsúla aige. Post áirithe a bhí tamall aige ná áireamh a choimeád ar stoc feirme an cheantair. Is cuimhin liom é theacht ar an ngnó san chun m'athar agus go raibh comhrá eatarthu i dtaobh colan, colpaí, loilíoch agus ainmhithe eile.

Beart eile a bhíodh aige ná turasóirí d'iompar amach chun an Bhlascaoid. Naomhóg a bhíodh mar chóir iompair aige agus ba mhaith an fear é ar na maidí rámha. Trí mhíle trasna tríd an Sunnda go dtí an tOileán agus ghiorraíodh Kruger an t-aistear dá phaisinéirí le scéalta ar Al Jolson nó Lee Shubert nó Sam Goldwyn agus imeachtaí éagsúla lucht oirfide na Stát, iad go léir ag foilsiú chomh beo as a thuairisc go mbíodh a sáith maith iontais ar chuid dá lucht éisteachta píolóta báid a bheith acu a chonaic níos mó den domhan ná mar a shaoileadar dó ar an gcéad amharc. Tá pictiúir maith de Mhuiris agus criú ag rámhaíocht naomhóige sa *Sunday Press* 31 Lúnasa 1952. Bhí tigh maith nua tógtha aige agus bhíodh turasóirí ar saoire chuige. Ba mhór an chabhair dó a dheartháir Seán an t-am san, mar dob iad cairde nó mic léinn Sheáin a lán acusan a thagadh i dtús báire, aos foghlama agus ealaíon agus de réir mar bhí cáil na háite ag leathadh bhíodh líon na dturasóirí ag méadú, sa tslí go mb'éigean dó breis a chur leis an dtigh ó am go ham chun freastal orthu. Ní raibh aon tsás ba mhó a tharraing chun na háite iad ná Kruger féin, lena acmhainn cheolmhar cainte agus pearsantacht fáilthí a thug barr bua dhó ar óstóirí na hÉireann. Bhíodh fógra poiblíochta aige ar an iriseán *Comhar*, i nGaeilge agus i bhFraincis, Teach na gCeithre dTeorann, *La maison des quatre bras*. Thánathas chuige ó gach aird sa domhan agus is iomdha duine d'fhág mír chuimhneacháin ina dhiaidh i bhfoirm scríbhinne, nó molta, nó mana, nó pictiúra, sa tslí go dtáinig tigh Khrugeir chun bheith ina sheodlann liteartha agus ealaíon.

Mar gheall ar iomadúlacht na n-eolaithe a bhíodh ag triall ar Dhún Chaoin, gach duine acu ar a cheird féin, gheibhtear trácht ar Khruger ins na háiteanna is fánaí. Tá cur síos air, mar shampla, ag L.E. Savage, as Hove i gContae Sussex in aiste, 'Collecting Lepidoptera in Eire', san *Entomologist's Gazette* (Imleabhar 5 (1954) 106-7). Ag bailiú cineálacha neamhghnácha leamhan a bhí sé i nDún Chaoin. Seo cuid dá chuntas:

> Kruger is a big handsome 6ft. man, with a fine athletic figure, and is witty and well-informed. Conversation was indeed a pleasure and we talked on diverse subjects such as literature, politics, production of films in Hollywood, the hotel business, the running of a garage, the sailing of curraghs to the Blaskets, and his work as special agent during the last war, all of which he could speak (of) from practical experience. I have mentioned Kruger for the advantage of any lepidopterist who may take a holiday on the Dingle Peninsular.

Gan dabht, d'inis Kruger scéalta. Chuireadh sé gothaí na dáiríreachta air féin á n-insint chomh maith le haon aisteoir i Hollywood. Má bhí daoine timpeall a chreid iad ní ar Khruger ba cheart é sin d'agairt. Má bhíodar ann nár chreid níor chás dóibh a bheith buíoch go raibh

Ag déanamh suilt le béithe.

seanchaí le samhlaíocht thar na beartaibh ina measc chun an lá a ghiorrú dhóibh agus sult a spreagadh.

'AGUS CAITHFIMID SIAR É LE KRUGER'

Ar aon de na fir chéimiúla a thug turas ar Dhún Chaoin um Nollaig na bliana 1945 agus a chuir fé in Ostán Khrugeir bhí an file Patrick Kavanagh. Spéis croí agus ceana a bheith aige in óigbhean mhaisiúil ón nDaingean a tharraing chun an cheantair é, nó ar aon chuma sin í an chúis atá luaite dó sa mbéaloideas. Nuair a bhí a shaoire geall le bheith caite aige mhachtnaigh an file ar conas a raghadh sé dhon Daingean le bheith in am don mbus. D'éirigh sé go moch maidin a imeachta le linn do mhuintir an tí a bheith fós ina gcodladh agus thóg sé leis ar iasacht sean-rothar Khrugeir chun gur bhain amach an Daingean, mar ar fhág sé an rothar ina dhiaidh.

Mar bharr ar an donas scríobh sé tuairisc ar a chuairt san *Irish Press* agus ar na rudaí spéisiúla i dtaobh na háite a bhí le rá aige, tá go háirithe an méid seo:

> After Mass, the islanders partook of liquid refreshments handed out in all manner of vessels, from a jam pot to a cream

jug, by a publican whose license can never be endorsed. There was only a half and a quarter barrel, and as this quantity was distributed among the mainlanders as well as the islanders, no one was very far gone. Still, it would do any man's heart good to see those young men take off in their canoes after the small potions. As the boats skimmed the waves, singing could be heard over the splash of the oars and the roaring of the sea.

Níl aon dabht ná go bhfuil iarsma de litríocht na Fiannaíochta in abairt dheiridh na tuairisce sin. Chuir Ceannfort an Gharda Síochána spéis ann, go háirithe sa chuid sin den tuairisc a thug le tuiscint go raibh tabhairne i nDún Chaoin ná raibh beannaithe ag an stát. Rinne sé machnamh agus ba ghearr go dtug na gardaí turas ar thigh Khrugeir chun fiosruithe a dhéanamh. Turas in aistear ab ea é. Bhí gach rud ina chóir cheart. Ní miste smaoineamh air go raibh Kruger ins na Stáit le linn chuid de réim Herbert Hoover, an tUachtarán a thionscain dlí an Phrohibition, agus ná raibh sé dall ar an damáiste sóisialta a dhéanann sé deoch dleathach a cheilt ar dhaoine. Ón dtaobh shóisialta dhe, fiú dá mbeadh tabhairneoireacht ar siúl aige, bheadh maitheas daonna á dhéanamh aige. Ina dhiaidh sin, áfach, bheartaigh sé ceadúnas dleathach a lorg don óstán. D'imigh achar aimsire sular fhéad sé é sin a dhéanamh. Fén am go raibh sé ullamh chuige bhí an t-áitreabh feabhsaithe go mór aige agus cláraithe mar thigh ósta fé na hAchtanna um Thrácht Cuartaíochta, Grád C mar chéim aige agus aon tseomra déag codlata ann mar chóiríocht do thurasóirí. B'éigean dó luacháil an áitribh d'ardu ón meas ocht bpunt a bhí air go dtí meas deich bpunt nó os a chionn, chun bheith i dteideal ceadúnais, comhairle a fuair sé ó Mhuintir Downing, Aturnaetha, 22 Sráid Denny, Trá Lí, a bhí i mbun cúraimí dlí aige.

Tháinig iarratas Mhuiris ar an gceadúnas fé bhráid an dlí sa Chúirt Chuarda i dTrá Lí sa mbliain 1956, an Breitheamh Barra Ó Briain ar an mbinse, agus chuir an t-aturnae Seosamh de Grás an t-iarratas i láthair na cúirte ar shon Mhuiris (Kruger) Caomhánach, 'cara lucht stáit, scoláirí, filí, scríbhneoirí agus aisteoirí stáitse,' mar a dúirt tuairisc an Irish Times, agus do héisteadh an cás in urlabhra dúchais Mhuiris, ach amháin gur chuir abhcóide na taoibhe a bhí in aghaidh Mhuiris, an tUasal Dermot Kinlen, ceisteanna ar fhinnéithe i mBéarla, bíodh is gur thuig sé an teanga Ghaeilge go maith.

Ar cheann de na rudaí a cuireadh sa bhfianaise in aghaidh Mhuiris bhí an blúire litríochta réamhráite ó láimh an fhile Patrick Kavanagh, agus roinnt aistí beathaisnéise ó láimh Khrugeir a bhí foilsithe aige roinnt míonna roime sin sa pháipéar Domhnaigh *The People*. Dúradh ar a shon go mbíodh go leor turasóirí ón iasacht ar aíocht aige sa tigh, súil acu le deoch mar ba réasúnta, rud ná raibh le fáil acu in aon áit ní ba ghaire ná Baile an Fhirtéaraigh, chúig mhíle ó bhaile, nó sa Daingean, dhá mhíle dhéag ó láthair. Is minic d'iarraidís sin air soláthar dí a thabhairt chucu ón nDaingean. Gan dabht choinnigh sé braon dí sa tigh le tabhairt ar mhodh na féile dá cháirde féin ach bréag ab ea é a rá go raibh síbín aige. Ní miste a rá nár ól Kruger féin deoch meisciúil ná nár chaith sé tobac agus mar a dúirt Séamus Ó Lúing (Séamuisín an Bhoidhlir) leis an scríbhneoir seo tráth i nDún Chaoin 'Tá na grásta san aige.' Mar bharr ar an scéal dúirt an Sairsint McAteer ó Bhaile an Fhirtéaraigh agus an Sairsint Ó Cróinín ón nDaingean ná raibh faic ar domhan de locht acu ar Khruger mar fhear oiriúnach le bheith i mbun tabhairne ná aon chúis acu in aghaidh cheadúnas díolta dí a thabhairt dó. Fuair Kruger an ceadúnas. Dáta a thugtha Dé Máirt 26 Meitheamh 1956. Fear a thugtha Breitheamh na Cúirte Cuarda Barra Ó Briain. Ní raibh a bhac feasta ar mhuintir Dhún Chaoin ná an Bhlascaoid deoch a bheith acu ina bparóiste féin agus cé shéanfadh a theideal orthu. Ar an bpointe baise bhí dréacht filíochta déanta ina thaobh ag Breandán Ó Beacháin. Bhíodh Breandán go minic ar iostas tigh Khrugeir agus an bheirt acu an-mhór lena chéile, an-mheas ag Kruger ar Bhreandán, fear a bhainfeadh an léine anuas de chneas a dhroma le tabhairt don té a bhí ina ghá, teisteas Khrugeir ar a chara. Cuireadh an dréacht filíochta i gcló láithreach bonn san *Irish Times*, eagrán speisialta, an 27 Meitheamh 1956, i mBéarla agus i nGaeilge.

Is iad so na ceathrúna tosaigh, iad ag gabháil leis an bhfonn 'The Galbally Farmer':-

Is fuath le daoine bheith ag briseadh na dlí,
Ach is fuath leo fós bheith ag dul gan braon dí,
Is geal linn an scéal is déannaí ó Dhúnchaoin,
Agus caithfimid siar é le Kruger.

'Tis a terrible thing to be breaking the law,
But 'tis worse to be left with a thirst in your craw,
We'll be legal and decent with pints in our paw,
When we wet the new licence with Kruger.

Ó aimsir Sheáin Uí Thuama an ghrinn ó Chois Máighe ní bhfuair tabhairne ná óstóir céim chomh fairsing sa litríocht agus fuair Muiris

Caomhánach. Ní foláir nó bhain an Breitheamh Barra Ó Briain a sháith féin grinn as an eachtra. Tamall de bhlianta ina dhiaidh sin bhí sé faoi agallamh ar Radio Telefís Éireann agus d'aithris sé an t-amhrán ó thús go deireadh sa tslí gur léir gur bhain sé sult an domhain as. Bhíodh an breitheamh agus a chlann ar saoire i nDún Chaoin ag fanacht in óstán Khrugeir agus breitheamh agus óstóir araon mór muinteartha lena chéile.

Tá tuairisc ann ar an gcéad soláthar dí a d'ordaigh Kruger tar éis dó an ceadúnas d'fháil. Ó Mhuintir Ríordáin, John Reardon & Son Ltd., 26 Sráid Washington, Corcaigh, a cheannaigh sé é, agus toisc stair an cheadúnais a bheith ceiliúrtha san fhilíocht ag Breandán Ó Beacháin, ní miste na figiúirí tosaigh cuntasaíochta a bhain leis a bhreacadh anso mar a leanas:

John Rearden & Son Ltd.
26 Washington St.
CORK

Mr K. Kavanagh
Guest House,
Dunquin, Dingle, Co. Kerry.

Ordered	Per *Phone*	Date 26-7-'56	Spirits £ s d	Wines	Packages	Total
2 Doz.	J.J. & S. xxx Wky —	352/—	35=4 —		8	
¼	10 yrs old					
2	Rum	334/—	4=3=6		1	
½	Baby Powers Wky	37/—	3=14 —.			
2	Silver Crest Gin	314/6	7=17=3		2	
	Baby J.J. & S xxx Wky	37/—	3=14 —			
	1 Case	20/—		1	=	
			54=12=9	1	11	£56=3=9

Fear de mhuintir Chárthaigh a bhíodh ag taisteal do Chomhlacht Ríordáin an chéad teachtaire gnótha a tháinig go tigh Khrugeir ag díol biotáille, fear an-mhuinteartha a thug an chomhairle ab fhearr dó i dtaobh tionscail tabhairne, 'mar bhíomar i gceo na hainbhfiosa amach is amach', de réir ghluais bheag a scríobh Kruger ar imeall an chuntais, fara le gluais eile uaidh a deir 'Mo chéad ordu dí le haghaidh oscailt an Cheadúnais Óstáin nua i nDún Chaoin' agus scríofa fairis sin arís greas beag mícheana i dtaobh na mbeart i gcoinne an iarratais, ní ar a mbeadh trácht aige ar ball, 'when writing my book'. Ach ar scríobh? Tráth dar bhuaileas le Muiris sa Daingean dúirt sé liom go raibh beartaithe aige scéal a bheatha d'insint ach gur i mBéarla a scríofadh sé mar ná beadh toradh ná léamh ar a mhalairt.

Tháinig tabhairne Khrugeir chun bheith ina láthair mhór cuideachtan ag muintir na háite agus turasóirí araon, agus is iomdha rann a canadh agus scéal do hinseadh ann. Ionad coinne agus caidrimh ab ea é do lucht léinn, ealaíon agus oirfide as na cheithre arda. Tá doiciméad oifigiúil i measc pháipéirí Mhuiris faoi láimh an Bhreithimh Dúiche á rá go raibh cead aige an tabhairne a choimeád ar oscailt ar feadh uaireanta breise d'ócáid speisialta áirithe. Scríobh Muiris an blúire barúlach tagartha so ar chúl an doiciméid:-

Sunday Nov 3rd 1957
Special extension License 11 a.m. to 10 p.m.
The unveiling of Tomás Ó Criomhthain's memorial at the old Dunquin Graveyard.
There was a lot of bluff talk by the Rackateers of the Irish Language and moreso from those that accepted the Treaty in 1922.

Non sequitur? Ach dob é Kruger Kruger.

Níor thógtha ar Mhuiris gan a bheith buíoch dá fhear comhchine, an file ardcháile Patrick Kavanagh. Beidh insint níos déanaí ar theangbháil eile eatarthu.

SLEACHTA AS A MHÁLA POIST

B'annamh lá gan fear an phoist i mbéal dorais Khrugeir le teachtaireacht ó chian nó cóngar. Seo cárta óna chara aerach Tony Harper, scríofa ó Curaçao. Níl aon rian de dháta air:

Thanks for your Christmas card. I've been here since 9 Dec. and am thoroughly enjoying the warmth, sun, the people and work. I am very busy doing portraits of all the rich people's kids, and a few real beauties thrown in. I had a letter from . . . and a book on love!! How is the gang? Harry Lush and Co! Congratulations to the Irish. Their Nationals hold all the key jobs now. Glad to hear you are better. I'll try and come to Dunquin if you let me know when you have a bunch of beauties. Love to Kate.

Dob é Harry Lush bainisteoir na Pictiúrlainne Adelphi i Sráid Meánach na Mainistreach i mBaile Átha Cliath agus cara dlúth do

Khruger agus dá dheartháir Seán. Is iomdha slí inar chuidigh Harry
Lush le héigse na hÉireann ach ní dhearna sé beart riamh ab fhearr ar
a son ná lámh sábhála a thabhairt do Patrick Kavanagh an tráthnóna
a chosain sé é ar Khruger tráth tharla an chéad teangbháil idir an
mbeirt Chaomhánach ó d'fhág an file Dún Chaoin ag marcaíocht ar
shean-rothar Mhuiris. Tharla sé sin ar áiléar an Adelphi mar ar
ardaíodh cibeal agus dianghleo nuair a luigh súile Khrugeir ar a
bhráthair cine. Thug Kruger cuntas ar an ócáid sin don scríbhneoir
seo tráth sa Daingean. Thug sé fogha fén bhfile agus bhéic seisean
'Fan amach uaim a Khrugeir, ní háil liom baint ná páirt leat'. Bheir
Kruger greim docht bráid air agus sháigh roimis é gur fhág ina shuí go
neamhsheascair é.

Choinnigh Kruger na ceangail spéise agus caradais a bhí aige le
Meiriceá. Fiafraí i dtaobh chlann Ring Lardner a chuir sé chun a
charad Dan Parker a bhí ag obair ar an *New York Mirror* a thug ar an
bPáircéarach blúire grinn a dhéanamh leis, 'I'll bet you give those
Summer boarders an awful line, between your Kerry Blarney and
your Broadway double talk . . . With best wishes and trusting you will
prosper in Dunquin' agus chuir sé chuige fairis sin an t-eolas a bhí
uaidh. An dáta ar a litir 15 Feabhra 1939. Nóta nuaíochta chuige ó
Hal Studdert, Áth na Scairbhe, Cill Mhantáin (18.12.1954) á rá gur
éirigh leis ina scrúdú, a bhuíochas ar an taithí cainte a fuair sé i nDún
Chaoin. Litreacha grinn agus seanchais chuige ó gach ceathrú den
domhan ón aisteoir siúlach Donnchadh Ó Deá agus a bhanchéile
Siobhán Nic Cionnaith. Leo a bhíodh Muiris ar iostas nuair a théadh
sé go Baile Átha Cliath. Gabhann Larry Morrow buíochas leis i
dtaobh a chaint rí-spéisiúil ar an radio i dtaobh Victor Herbert.

I measc scríbhinní Mhuiris tá teileagram le postmharc ar leithligh,
"An Blascaod Mór 17.VI.41", é fé sheoladh go dtí: Éamon De Valera
an Taoiseach Bleá Cliath, agus teachtaireacht air mar leanas: 'Beir
buidheachas duit agus don Riaghaltas ó mhuintir an oileáin i dtaobh
an guthán osgailte indiu sa Bhlascaod Mór. Muiris Ó Cíobháin
Dúnchaoin.' Is é sin, ó Mhuiris féin, mar b'shin foirm eile dá shloinne.
Bhí aithne mhaith ag De Valera agus Muiris ar a chéile ón am a
bhuaileadar um a chéile i Meiriceá agus bhíodh fáilte roimh Muiris in
Áras an Uachtaráin aon uair a thagadh sé go Baile Átha Cliath.

B'oiriúnach an cor sa stair gur bhain fear de Chlann Duibhneach
céim amach mar Mhéara ar chathair Springfield, ar an abhar gur chun
na cathrach san a bhí triall agus lonnú ag a lán de mhuintir Dhuibh-
neach agus gur shaothraíodar ann i ngach ceird, gnó agus gairm. Seo
litir a sheol an Méara Ó Conchúir go dtí Kruger:-

Thomas J. O'Connor, Jr.
Mayor
The City Of
Springfield, Massachusetts

March 17, 1961

Mr. & Mrs. Maurice Kavanagh
Krugers Guest House
Dunquin, County Kerry, Ireland.

Dear Kate and Kruger:
It was very thoughtful of you, as usual, to send me the Saint Patrick's medal and ribbon and, most of all, the shamrocks from our beloved County Kerry.
I'm still hopeful of revisiting my mother's and father's homes and, of course, spending some time with you.
I hope you will give my very best regards to the Fitzgeralds and the O'Connors, the Adams sisters, Peggy Houlihan and Mr. O'Connor and his niece.
Happy Saint Patrick's Day to you!

Kindest personal regards,

Thomas J. O'Connor, Jr.
Mayor

Beidh aithne i gceantar an Daingin ar na cairde atá luaite aige. B'aithin dom féin na deirfiúracha Adams, beirt bhanuasal ghleoite, Alice agus Annie, go raibh siopa éadaí acu i bPríomhshráid an Daingin agus na hearraí ab fhearr sa ghnó san á ndíol acu. Bhíodh go leor lucht coláiste chucu ag fáil abhair ann, agus bhí cúntar beag díscréideach óil i gcúl an tsiopa mar a bhain lena lán tigh gnótha dá shórt.

Na daoine a tháinig ar a leathanta saoire go tigh Khrugeir thugadar leo ag imeacht dóibh cuimhní marthanacha pléisiúir a spreag iad chun a mbeannacht a chur ag triall chuige thar n-ais. A leithéid seo:

Madrid 24.7.49

Legáideacht na hÉireann
i Madrid na Spáinne

Do Khruiger
I gcuimhne na laetheannta aoibhnis a chaitheamair go léir i

dteannta leat thiar i nDún Chaoin agus le gach deaghghuidhe duit
fhéin agus do Cháit.

Seoirsín Bean Mac Amhlaoidh

León T. Mac Amhlaoidh

Agus sinne i láthair:-
Seán Mac Ginneadha, S.O., Baile 'n Fhirteuraigh
Pádraig Mac Amhlaoibh, Coláiste Íde
Seán S. Beausang

Cá bhfaighfí teastas níos airde ná a leithéid seo, ó Steffen Rosenmeier,
Naestved, An Danmhairg, fé dháta 11 Meitheamh 1961:-

> You may remember the two young Danes that visited your
> delightful hotel last summer. For both of them it was a never-to-
> be-forgotten experience . . . We are both working rather hard and
> in these times of strain we often pause to wonder at the peace
> and beauty of your country and the many delightful people we
> met there.

Tá cárta poist daite i measc pháipéir Mhuiris d'óigbhean rí-mhaisiúil le
coca bán gruaige, a leithéid is a chuirfeadh Eoghan Rua Ó
Súilleabháin ag taibhreamh ar aisling, agus teachtaireacht cheana
uaithi chuige féin agus Séamus. Sin í Diana Dors, aisteoir stáitse agus
scannán a bhfuil aithne uirthi ar fud domhan an Bhéarla agus meas
uirthi as feabhas a ceirde. Is deárthach gur i dTír Chonaill a bhuail sí
le Kruger, tráth thug sé turas ann, mura raibh aithne aici air roimhe
sin. Dáta an phostmhairc an 15.VI.1961, agus díríodh é go dtí Jim-
Kruger, leis an teachtaireacht:

> Hello my two darlings!
> Am leaving Donegal on Sunday, and hope to be with you on
> Wednesday. But one condition please — to be shared by you
> both and shared alike,
>
> Best love
Diana

Bhí sí i mbláth na hóige an t-am sin. Toisc bhróin í d'fháil bháis an 4
Bealtaine 1984 in aois a 52 bliana.
    Bhíodh clár ar Thelefís Éireann fén teideal 'Self-Portrait' agus ar
Khruger a bhí an ceamara dírithe ar a 10.25 p.m. an 25 Samhain

1952 le Raghnall Breathnach á cheistiú. Ba mhaith an sás cainte Kruger an oíche sin. Labhair sé chomh héasca socair agus dá mbeadh sé ina shuí ar chathaoir shúgáin sa mbaile, i mBéarla agus i nGaeilge, agus níor thréig an greann a shúile nó gur chuir sé síos ar na sochraidí naomhóg ag teacht amach ón mBlascaod. Thug sé stair a shaoil, ó Dhún Chaoin go Broadway agus níos faide, in imeacht chúig nóimead fichead agus tugadh suas dó go mba deacair an ócáid a shárú le feabhas féachana agus éisteachta. Ar cheann de na teachtaireachtaí comhghairdis a fuair sé tá an nóta seo ó phearsa eaglaise ardchéime, an tOirmhidneach Robert Wyse Jackson, Easpag Luimní, Ard Fhearta agus Achadh Dá Eo:

Bishop's House
Limerick

Wednesday

My Dear Kruger

(I know you will allow me to be counted among your friends and address you thus) — may I write to say what pleasure your splendid T.V. Self-Portrait gave us both? It was first class, and you came over excellently. You will have given delight to innumerable Kerry men everywhere.

No answer please to this!

Very Sincerely,
+Robert Limerick & Ardfert.

Scoláire den scoth ab ea Robert Wyse Jackson le heolas speisialta ar ré agus comhluadar an Déan Swift agus ar an ochtú céad déag i gcoitinne.

Tá Mícheál Yeats, mac an fhile, ar dhuine de na cainteoirí Gaeilge is líofa sa tír díobh siúd arb í an pholaitíocht is gairm dóibh. Chuir sé roimis an teanga d'fhoghlaim, mar a thugann an litir seo uaidh le fios a scríobh sé ar dháta an 15 Iúil 1944 go Kruger:

Dear Kruger,
As Seán probably told you, I failed in my Civil Service examination last spring — the Irish stuck me. I am anxious to go down to Dunquin again, to try and improve my Irish — would you be able to put me up? . . .

Yours sincerely
Michael Yeats

Cara na hÓige.

Is maith mar chuaigh a thréimhse i bhfochair Khrugeir chun tairbhe dó. D'iompaigh Micheál Yeats amach ina chainteoir ullamh slachtmhar Gaeilge. Thug sé cúl do ghairm a athar agus níor chuir sé aon spéis i bhfilíocht. Chuir sa cheol, agus sa pholaitíocht. Tar éis dó a bheith ina bhall de Sheanad Éireann agus ina Theachta i bParlaimint na hEorpa tá sé anois le cheithre bliana ina Stiúrthóir ar Oifig Rúnaíochta Pharlaimint na hEorpa agus cónaí air sa Bhruiséil.

Cuireadh an olaphictiúir de Khruger a dhathaigh a chara Tony Harper os comhair an phobail i dtaispeántas an Royal Hibernian Academy a d'oscail an 1 Bealtaine 1967 agus tharraing sé spéis. Níorbh ionadh. Tá tomhas an fhir sa phortráid, é guailleach leathan, a chabhail tacúil cumhdaithe go muineál i ngeansaí cniotálta, cló ríoga de cheann air, a dhá ghéag leathana láimhe fillte trasna, neart, ceannas, cumas, cruinnithe le chéile ann. Rí Dhún Chaoin a thugadh lucht páipéar air. Níorbh aon leasainm é, ba dhóigh le duine, ag breathnú ar an bportráid sin.

In aiste ghairid mar í seo ní féidir ach beagán sleachta as comhfhreagras Khruger a thabhairt. Tá go leor ina measc a bhféadfadh Bord Fáilte úsáid a bhaint astu mar chóir phoiblíochta ach thánadar go Kruger ó dhaoine a bhí buíoch dó. Bhí cion an-mhór ar Dhún Chaoin ag an mbeanuasal a bhí ina Méara ar Luimneach agus a thug an t-aitheasc fáilte is fearr a fuair sé in Éirinn don Uachtarán Ó Cinnéide ar a thuras dhon tír seo, is é sin le rá, Frances Condell, agus is minic a bhíodh a triallsan go tigh Khrugeir. Saothraí tionsclach ab ea í i ngach gnó a bhain la tairbhe Luimní agus ní nach ionadh theas-taíodh sos uaithi ó am go ham. 'Tá mé tugtha, traochta, caite amach ag an saol' a deir sí le Kruger i litir faoi dháta 3 Bealtaine 1966. 'How good it will be to see you, Cáit and my beloved Dunquin again — and how I need a few days with you' agus sa litir chéanna chuir sí tuairisc Mhéiní, an seanchaí, a raibh ard-chion aici uirthi. Tá aiste ar Mhéiní agus na Blascaodaí leis an teideal 'The Shanachie of Dunquin' san *Catholic Fireside* (Londain) faoi dháta an 14 Meán Fómhair 1956 ó láimh Frank Cusack. Ar an gcóip atá i measc páipéir Mhuiris tá nóta ina scríobh féin á rá gurb í Frances P. Condell, Scoil Villiers, Luimneach, an t-údar.

Tríd is tríd deireann na litreacha an rud céanna, gach duine ar a mhodh féin, agus is é a suim gurb iad Kruger agus a bhean Cáit scoth an domhain. Críochnóm an chaibidil seo le ceann gairid ó Chopenhagen N.V. fé dháta an 30 Meitheamh 1969:-

To everyone at Kruger's we send our sincerest thanks for hospitality and kindness during our stay in Dunquin — the culmination of a marvellous holiday in Ireland.

With kind regards,

Asta & Jeppe Rasmussen
('Danish Vikings').

AN FEAR POIBLÍ

Ba mhaith an sás é Kruger chun buntáistí agus áiseanna a lorg don gceantar. Choinnigh sé an Teachta Dála Tadhg 'Chub' Ó Conchúir gnóthach ag tathant feabhsuithe a chur ar bhóithre, uisce pípe a sholáthar do bhailte éagsúla, taitneamheachtaí a chur ar fáil ar mhaithe le turasóirí. Bhí soláthar uisce poiblí á lorg aige do Chlochar agus Gráig, agus do Chom Dhineol. Dear Kruger, arsa an Conchúrach leis ag scríobh ó Dháil Éireann an 24 Aibreán 1963, I have asked the County Engineer to arrange for a scheme for the extension of the water from the reservoir at Teeravane to the village of Clogher. A Mhuiris a chara, arsa Chub, ag scríobh arís, agus is minic a scríobh, seo dhuit tuairisc ar na feabhsuithe ar bhóithre atá le déanamh sa cheantar so agatsa, dhá stráice de bhóthar, bealach mór Cheann Sléibhe agus bóthar curraigh in aice Chill Dhoiriche. Loirg Kruger arís. Linn snámha i nDún Chaoin a dheisiú. Ní féidir a dúradh leis. Lorg eile ó Mhuiris, Cé Dhún Chaoin d'fheabhsú. Leithreas poiblí a thógaint i gCom Dhineol. Ní féidir, arsa an t-innealtóir contae, tá an tráigh ró-bheag, gan fothain inti ón drochshíon, agus bheadh an siltean as leithreas ag cur boladh san aer, ná ní féidir é thógaint ar an mbóthar síos chun na trá mar bheadh síleadh uaidh ag titeam le faill, agus ar aon chuma níl aon tsoláthar poiblí uisce san áit; rud dodhéanta gan aon áiteamh.

Bunc! arsa Kruger, nach maith gur féidir a leithéid a dhéanamh i mBaile an Bhuinneánaigh agus áiteanna eile.

Seo litir uaidh fé dháta 15 Meán Fómhair 1965 a thugann léargas ar a dhícheallaí a bhí sé sa lorg ar son maitheasa na háite:-

Dear Tim,

Looking through my letters to you, and from you 24th April 1963, I came across one in regards to the Water Extension from the Reservoir at Teeravane to the Village of Clogher. Since last Spring a very fine car park was constructed down at Clogher Strand by Kerry County Council and is packed out with cars, tents and caravans all this Summer. The water that is near is coming from the sheep tank and they have to come up to the village, $\frac{1}{8}$ of a mile, for tea water. Really it is a pity, as Clogher Strand is a coming tourist beach and camping grounds. The distance between Teeravane Cross to Clogher is only a quarter of a mile. Let's get going at it for next season, and also the Couminole water, with a branch to Couminole Strand for the tourists. If we had these two items out of our hands we would have finished with my area . . .

Best wishes

Kruger Kavanagh

Seo cuid de litir ó Mhuiris a bhfuil an chéad leathanach di caillte, ionas nach fios cé chuige í ach níor fágadh in aon amhras pé duine nó oifig a fuair. Is é an dóigh gur go dtí duine le húdarás i Roinn Rialtais a sheol sé í. É ag plé cáis ar son na n-iascairí naomhóige i gcoinne lucht na mbád 50 troigh:-

... Really what's good for the goose is good for the gander. Shedding tears and craving for protection from your Dept. against the Spanish, English and French boats, and themselves doing worse to the unfortunate canoes. I brought this up at a meeting a few years ago in Dingle and they even told me that I'd get my eyes blackened. But I am not through yet, and I'll molest the local T.D.s if they dont do their job. The canoes need protection from the 50 footers as well as they want it from the foreigners . . .

do chara

Muiris "Kruger" Kavanagh

Is beag dabht ná go ndéanfadh Kruger féin fear feidhmiúil ar dháil nó comhairle phoiblí dá gceapfaí é. Chuaigh sé ar aghaidh tráth mar iarrthóir do Chomhairle Chontae Chiarraí agus chuir sé an fógra so ar an bpáipéar:-

KERRY CO. COUNCIL

TRALEE AREA

DO GACH GAEDHEAL BOCHT AGUS NOCHT

I wish to announce to the voters of the above area and West Kerry that I am going forward as an

INDEPENDENT CANDIDATE

To represent the People only
No Party Blocks

Maurice (Kruger) Kavanagh, Dunquin.

Níor éirigh le Muiris. Tá Corca Dhuibhne ró-chúng mar thalamh vótála.

EPILÓG

Fear siúlach ab ea Muiris, cleachtadh a fuair sé ins na Stáit agus bhíodh an vean ar an mbóthar á thiomáint aige moch déanach ar a ghnó siopadóireachta. Chuaigh sé go Meiriceá mí Iúil 1959 ag fiosrú a ghaolta agus ag leathadh poiblíochta i dtaobh Chorca Dhuibhne d'fhonn turasóirí a tharrang ann. Tá grianghraf ar fáil de a tógadh ar Fire Island, láimh le Long Island, Nua-Eabhrac, amuigh faoin aer ar áit cosúil le daoi gainimhe, é ina sheasamh le mála taistil ar a dhrom agus é scríofa ar an ngrianghraf gur chodail sé an oíche i measc na dtor san áit a raibh sé ina sheasamh. Ba gheall le Meiriceá i mbéal an dorais aige é nuair a bhí an pictiúir reatha 'Ryan's Daughter' á dhéanamh i 1969-70. Bhíodh tabhairne Khrugeir geonach le canúintí Béarla Mheiriceá agus Shasana, chomh maith le hurlabhra Gaeilge an cheantair, le comhluadar éagsúil aisteoirí agus lucht ealaíon agus deoch go flúirseach á ghlaoch agus 'á chaitheamh siar'. Theip ar shláinte Mhuiris i dtús na bliana 1971. Tar éis tamall a chaitheamh in Ospidéal Naomh Eibhlís sa Daingean cuireadh go hOspidéal Réigiúnach na Gaillimhe é le dul fé obráid. Ar fhilleadh abhaile dó ní raibh feabhas ag teacht air agus chuaigh sé isteach in Ospidéal an Daingin arís. Fuair sé bás ansan an 13 Aibreán. Do hadhlacadh é i Reilig Nua Naomh Ghobnait ina pharóiste dúchais an 15 Aibreán. Bhí na sluaite ar a shochraid in ómós dá sheasamh, dá chéim agus dá phearsantacht. Ní hiad amháin muintir Chiarraí a d'airigh uathu é agus a chaoin é. Mothaíodh a éagmais san iliomad áit i bhfad ó theorainn Chiarraí i measc an lucht ealaíon agus oirfide lena raibh caidreamh aige i rith a shaoil. Chaoin a dhlúth-chara Harry Lush é – 'Laoch i dtrom-shuan tú os comhair na nOileán'. Chaill Dún Chaoin taca an lá d'éag sé.

Mhair a bheanchéile dhílis Cáit dhá bhliain déag dá éis. Fuair sí bás an 29 Bealtaine 1983 in aois a hocht is cheithre fichid. Fuair a dheirfiúr Peig bás an 10 Meitheamh 1982. Bhí sí cheithre bliana is cheithre fichid. Fuair máthair Mhuiris bás an 1 Meán Fómhair 1944. Tá pictiúir di ann a foilsíodh i bpáipéar nuaíochta, í ina suí lasmuigh de dhoras leis an tuirne olla ag sníomh. Tá nóta ceanúil le Muiris i mbun an phictiúra – 'My Mother – God rest her. A grand old woman and was loved by all'. Bean ghrámhar mhín ab ea í, ar uaisleacht an domhain.

Ba suaithinseach an mhuintir iad clann Chaomhánach agus d'fhágadar a lorg ar shaol Chorca Dhuibhne. Bhí buanna neamh-ghnácha acu a thuill aitheantas agus céim dóibh sa timpeallacht inar mhaireadar. Ba chuid spridiúil iad d'anam na háite. Nuair a fuair Kruger bás d'fhéadfaí a rá go raibh críoch tagtha le tréimhse speisialta de shaol Iarthar Dhuibhneach. Ní fearr teideal a thabharfaí ar an dtréimhse sin na ré Khrugeir, fear a bhí bainteach le heachtraí Ghaeltacht Chorca Dhuibhne agus d'iompair meirg ar son an cheantair go bródúil gan bheann ar neach, fear a shiúil an saol go rábach roimis le meon chomh saor neamhspléach le gaoth na mara.

Tá aguisín á chur leis an aiste seo ag Nóra Ní Shúilliobháin, cara mór do Khruger a bhíodh go minic ar saoire ina thigh ósta i nDún Chaoin.

Aguisín

Ag deireadh Mí Marta, 1971, tháinig scéala chughainn i mBaile Átha Cliath go raibh Kruger ag dul i laige in aghaidh an lae. Chuaigh Harry Lush agus mise ó dheas go prap. Bhí Kruger in ospidéal an Daingin i measc a mhuintir féin. Bhíomarna ann mar chomhartha ná raibh sé dearmhadta ag a cháirde lasmuigh — cáirde a bhí scaipthe ar fud na hÉireann, agus thar lear go himeall na cruinne. Gí go raibh sé lag, b'é an sean-Khruger a bhí ann, ag baint ceol as gach nóimeat go rabhamar leis.

Chuaigh mé féin ar ais arís seachtain ina dhiaidh sin — um Cháisc. Chuaigh mé isteach chuige dhá uair sa ló. Maidean Domhnach Cásca bhí mé cois na leapan go raibh a cheann cúl leis an fhuinneoig. Chuir sé ceist orm faoin saghas lae a bhí ann.

'Ó Kruger' arsa mise 'an Cháisc is breátha a tháinig riamh go hÉirinn'.

Chómh luath agus a bhí sé ráite agam bhí fhios agam go raibh sé fánach bheith ag trácht ar an aimsir, go raibh fhios aige nach do san feasta a bhí an ghrian ag taithneamh. Do líon na deora . . . ba bheag nár bhris a ghol air.

An lá dar gcionn, Luan Cásca, bhí mé ann sa tráthnóna i dteannta le Cáit, a bhean, Pádraig Ó Néill, a nia, agus Máighréad a bhean san. Bhíodar cúthaileach, scáfar beagáinín — cúrsaí an ospidéil ag cur isteach orthu, cúrsaí an bháis gairid dóibh.

Ní raibh mórán le rá agam féin. Bhí an saol lasmuigh ag cúlú. Bhí mé ag taisteal an mhaidin dar gcionn agus tháinig am scuir go tapaidh.

'Níl mórán eile le rá' arsa mise leis 'ach an maith leat paidir beag a rá liomsa?'

'Ó ba mhaith liom é sin, a chailín', ar seisean.

Chuaigh mé ar mo ghlúinibh ar thaobh na leapan. Thosnaíos leis an Ár nAthair, go mBeannaíthear Duit, Glóire don Athair, ag críochnú le cuid de na paidreacha a b'annsa leis féin. D'fhágas slán aige — slán síorraí.

Chuaigh mé thar n-ais go Baile Átha Cliath. Fuair sé bás trí nó ceithre lá ina dhiaidh sin. Taobh istigh den tseachtain sin bhí mé ag dul ó dheas arís, ar an mbóthar go Dún Chaoin chun na sochraide. Chuaigh mé in éineacht le Harry Lush, a dheartháir Jim ag tiomáint agus Máirín Bean Uí Chonaill (née Ruiséil) go bhfuil tigh ósta aici anois ag Ceann Sléibhe, in ár dteannta. Cuireadh Kruger sa reilig nua, Reilig Gobnatan, atá ar thaobh na faille 'faoi bhéic na bhfaoileann agus faoi ghlór na dtaoide'. Bhí sluagh mór ann, ón tír ar fad idir Chathair Chorcaighe agus Chathair Luimnighe — eicumeineach mar a bheitheá ag súil le é bheith. Bhí ministéirí Eaglais na hÉireann ón Daingean agus ón Cham ann. Tháinig Mrs Frances Condell, Ard Mhaor Chathair Luimnigh. Bhí a dheartháir Séamus ó Chorcaigh ann agus cara mór do Mhuinntir Chiobhain uilig — Charles Mitchell ó R.T.E. Dubhairt Harry Lush liom go raibh na scuainí gluaisteán ar gach bóthar ag teacht chun na reilge — anuas ón Ghráig, anuas ó Mham Clasach, agus anuas ó Cheann Sléibhe.

Tar éis tost agus ciúneas doimhin na reilige agus tar éis don sluasad deiridh a bheith leagtha ar an uaigh, thosnaigh na daoine ag caint agus ag gluaiseacht i dtreó thigh Kruger mar a raibh flúirse bidh agus dí le fáil. Bhí teacht agus imeacht ann ar feadh an lae agus amach san oíche; na daoine ag caint faoi éacht agus eachtraí Khrugeir.

Fágaimís an teist is feárr do ag fear ó siar amach a chaith tamall i Nua-Eabhrach agus a bhí ag caint le Séamus, deartháir Khrugeir — 'Kruger an fear is feárr a chuaigh go hAmerica riamh' adubhairt sé.

Dá mbeitheá i New York agus gan pingin id phóca ní fhágfadh Kruger faoi ocras tú agus ní gheobhadh sé tharat ar an sráid dá mbuailfeadh sé leat, fiú amháin mara raibh aithne mór aige ort chuirfeadh sé aithne ort agus déarfadh sé leat 'an mbeidh bia agat nó an mbeidh deoch agat?' Is minic a bheadh náire orm a rá leis go mbeadh deoch agam . . . théigheadh sé féin isteach agus ní bheadh aige ach deoch ghlas. Ní raibh sé ag ól in aon chor . . . Dá mbeadh ocras ort i New York, ba dheacair duit é bhaint díot marach aithne agat ar dhuine go mbeadh a chroí san aige.

Do Bhailigh Breandán Ó Ciobháin naonúr againn chun Clár Chuimhneacháin a chur le chéile do Rádio Éireann. Annsan, d'fhágamar slán leis an ngreann, leis an seó, leis an gcuideachta agus leis an bhféile a bhí curtha i Reilig Gobnatan. Ach sé a bhí in ár gcluasaibh ag imeacht ná an rud so adubhairt comharsa eile do Khruger —

Samhlaítear dom "a dubhairt sé" go bhfuil gluaiseacht sa tsaol eile, daoine ag teacht le chéile, agus ós cionn an mhonabhair fear ag fógairt ós ard 'TÁ KRUGER TACAITHE'.

Nóra Ní Shúilliobháin

Buíochas

Ba mhaith liom mo bhuíochas a ghabháil le Pádraig Ó Néill, Tigh Khrugeir, Dún Chaoin, as ucht a chabhrach. Tá mo bhuíochas ag dul amhlaidh do bheirt atá ar shlí na fírinne, Cáit beanchéile Mhuiris Caomhánach agus Peig a dheirfiúr. Thugadar dom scríbhinní Mhuiris as a bhfuil bunús an eolais atá san aiste tógtha. Tá mo bhuíochas ag dul freisin do Nóra Ní Shúilliobháin i dtaobh a comhairle.

KRUGER

Mar a bhí ar tús

Mar a lean ansan

Mar a bhí ansin

Mar atá inniu

Muiris, Máiréad, Páid agus cairde ag an ath-oscailt

An beár taobh istigh inniu

An beár mar atá anois

Robert Mitchum agus Sara Miles ón scannán "Ryan's Daughter"

Radharcanna ón scannán "Ryan's Daughter"

Seo an baile a tógadh go speisialta don scannán

Kruger le Nóra Ní Shúilliobháin

Ar chlé: Máire Caomhánach ag an túirne
Ar dheis: deirfiúr Khruger, Peig

Thuas: Kruger agus Foireann Chiarraí i Nua Eabhrac 1927

Ar chlé: Kruger Dhún Chaoin le Maurice Wilkes
Ar dheis: Kruger na hAfraice Theas

KRUGER

IARFHOCAL
le
PÁID Ó NÉILL

CUID III

AN SEAN AGUS AN NUA

Leathchéad bliain ó shoin, i 1936, pósadh Muiris Ó Caomhánaigh ó Bhaile na Rátha i nDún Chaoin agus Cáit Ní Néill ó Bhaile Móir i Séipéal Bhaile an Fheirtéirigh. Is fén ainm 'Kruger' ab fhearr a bhí aithne ar Mhuiris; d'éag sé sa bhliain 1971 agus a bhean chéile Cáit sa bhliain 1983. Nuair a fuair Kruger bás d'fhág sé an tigh ósta agus an tigh tábhairne cáiliúil ag a nia Pádraig Ó Néill a bhí pósta i mBaile na Rátha agus is é Muiris, mac Phádraig agus a bhean chéile Máiréad, atá anois i gceannas agus ag déanamh bainistíocht ar an dtigh ósta agus ar an dtigh tábhairne.

Oíche Chinnbhliana 1966 a saolaíodh Muiris agus is ar Scoil Naomh Gobnait i nDún Chaoin, an scoil is Gaelaí in Éirinn, suite i gceartlár Pharóiste Dhún Chaoin a fuair Muiris a chuid bunoideachais. Bhí an scoil dúnta ar feadh cúpla bliain ach dhein muintir an Pharóiste, le cabhair ó eagraíochtaí Gaelacha i mBaile Átha Cliath agus i gCorcaigh, agóid tréan láidir in aghaidh í dhúnadh agus d'éirigh leo í oscailt arís. Cailliúint mhór don bParóiste a bheadh ann dá ndúnfaí í mar tá pobal Dhún Chaoin umhal, dílis, mórtasach, bródúil as a dteanga uasal. Níor chuaigh an teanga aon bhlúire ar gcúl riamh sa Pharóiste; tagann lucht foghlamtha na Gaolainne, mic léinn Ollscoile, daoine gur suim leo í, agus daoine gur mian leo í d'fheabhsú agus chun eolas d'fháil fúithi nó í chur chun cinn go Dún Chaoin gach bliain.

Le linn do Mhuiris a bheith ag freastal ar an scoil, bhí sé féin agus an múinteoir, atá go séimh lách lena mhic léinn, Mícheál Ó Dubhshláine, ana-cheanúil ar a chéile; ní raibh focal crosta riamh idir Micheál agus Muiris. Is comharsa le Muiris, Nóra Ní Dhálaigh, iníon Mhuiris Uí Dhálaigh, an ceoltóir agus an t-amhránaí breá traidisiúnta, a thionlaic Muiris ar scoil an chéad lá agus thaitnigh an lá san agus gach bliain dá dtug sé ar an scoil go mór leis.

Is aois a dhá bhliain déag d'fhág sé scoil Naomh Gobnait, sa bhliain 1978, agus chuaigh ar Scoil na mBráithre Críostaí sa Daingean, áit go raibh na múinteoirí go léir ana-chneasta leis. Sa bhliain 1983 d'éirigh leis an Ard Teistiméireacht a ghnóthú le honóracha; fuair sé marcanna ana-ard sa Ghaolainn, mar ba dhual sinsear dó.

Ach cé go raibh léann ana-mhaith ar Mhuiris agus mórán postanna le fáil aige is seans aige ar dhul 'on Ollscoil, b'í mian agus rogha a chroí riaradh agus bainistíocht a dhéanamh ar an dtigh ósta agus ar an dtigh tábhairne. Bhí an-áthas ar a thuismitheoirí, Páid agus Máiréad, dá chionn san agus thugadar gach cabhair dó. Tar éis Scoil na mBráithre

Críostaí d'fhágaint chaith Muiris dhá bhliain ag athchóiriú an tí ósta agus i mbliana bheartaigh sé an tigh tábhairne a athchóiriú is a mhaisiú. Chuaigh sé chun cainte le ailtire ó Thrá Lí, Bob Fearns a ainm, agus do tharraig Bob plean do bheár nua dó. Tá eolas an domhain ag Bob i dtaobh na hailtireachta agus tar éis plean breá a tharrac mhol sé dó an conraitheoir Mícheál Ó Scannláin ó Chaisleán Ghriaire d'fháil chun é thógaint.

Tar éis na Cásca thosnaigh Mícheál agus a ghasra fear oibre ar an obair. Laistigh de dheich seachtaine bhí beár breá scópúil tógtha aige. Chuir sé fuinneog mhór fhada ar thaobh na farraige den mbeár agus uirthi amach tá radharc iontach sciamhach ar na Blaoscaodaí. Tá an t-iarta déanta go néata feistithe de ghainimh-chloch Chináird, an chloch chéanna sa chúntar agus barra mahagaine air, é déanta go críochnúil slachtmhar. Ba ó Chomhlacht Mhic Ghearailt sa Daingean a tháinig an t-adhmad a úsáideadh sna seilfeanna, sa chúntar féin agus ar an adhmadóireacht álainn atá déanta laistiar den gcúntar.

Nuair a bhí an obair críochnaithe ag Mícheál agus a fhoireann, bheartaigh muintir Uí Néill é d'oscailt go hoifigiúil, ar an naoú lá déag de Mheitheamh. Thoghadar an Dr. Seosaimh Ó Dálaigh d'fháil le haghaidh é oscailt. Duine is ea an Dr. Seosamh go bhfuil a Chéim Dochtúra Léinn tuillte go maith aige as ucht a shaothar mór bailiúchán de bhéaloideas sna blianta 1930-1940 nó mar sin. Múinteoir scoile ab ea é agus tá sé ar a phinsean anois, agus ina chónaí ar an gCeathrún i nDún Chaoin le cúpla bliain ó scoir sé den mhúinteoireacht.

Ba é athair an Dr. Seosaimh, Seán Ó Dálaigh, a bhí ina mhúinteoir ar scoil Dhún Chaoin, ba thúisce a bhíodh ag scríobh na Gaolainne sa cheantar so. Go luath sna Fichidí d'fhoilsigh sé dhá leabhar: *Clocha Sgáil* agus *Timpeall Chinn Sléibhe* agus mórán altanna dos na hirisí a bhí ann lena linn, *An Claidheamh Soluis, An Lóchrann* agus *Fáinne an Lae*. Bhí mac léinn le Seán, deartháir le Kruger, Seán Óg Ó Caomhánaigh nó Seán a' Chóta, ag scríobh dos na hirisí céanna agus chaith sé tamall sna Stáit Aontaithe le linn a óige. Nuair a d'fhill sé scríobh sé úrscéal suimiúil faoi shaol na mbuachaillí bó ar na ráinsí móra talún i nDakota. *Fánaí* an teideal a bhí ar an úrscéal, ach is ar a shaothar mór foclóireachta is mó atá cáil ar Sheán a' Chóta. Deineadh an-chomóradh i nDún Chaoin anuraidh ar Sheán.

Le blianta beaga anuas tá Pádraig Ua Mhaoileoin ag scríobh as Gaolainn, *Na hAird Ó Thuaidh, De Réir Uimhreacha* agus *Ó Thuaidh* cuid dá shaothar.

Bhí mórán ábhar scríobhneoireachta bailithe ag Kruger chun scéal a bheatha a scríobh ach fuair sé bás sara raibh caoi aige tabhairt faoi.

Thug sé gean is grá a chroí do Dhún Chaoin; d'fhág sé soilsí geala Hollywood, Broadway agus Nua Eabhrac chun cur fé i nDún Chaoin. Níorbh fhearr leis slí chun an lá a mheilt ná bheith ag cur is ag cúiteamh le muintir an Pharóiste, le cuairteoirí nó lán naomhóige de chuairteoirí a thabhairt 'on Bhlaoscaod.

Is mó duine a thug aghaidh ar thigh ósta agus tigh tábhairne Khruger agus ins na Dachadaí d'fhan Éamon de Valera ann ar feadh tamaill ag feabhsú a chuid Gaolainne agus tugann Cathal Ó hEochaidh cuairt go minic ar an dtigh ar a shlí go dtí a thigh samhraidh ar Inis Mhicileáin.

Comhráití iontach ab ea Kruger agus nuair a dhein David Lean an scannán *Ryan's Daughter* i nDún Chaoin sa bhliain 1970, le Robert Mitchum, Sarah Miles, Trevor Howard, John Mills agus Aisteoirí na Mainistreach ó Bhaile Átha Cliath, is mó uair an chloig sona a chaith David agus a chuid aisteoirí ag comhrá leis sa tigh tábhairne; ana-chuideachta ab ea iad. Níorbh aon nath le Robert Mitchum nóta £50 a chur ar an gcúntar agus deoch a sheasamh don gcomhluadar go léir. Tá pictiúirí de Robert Mitchum agus Sarah Miles agus den mbaile a tógadh le haghaidh an scannáin ar crochadh sa bheár. Tá péintéireacht bhreá le Seán Céitinn, Seán Ó Súilleabháin, Maria Simonds-Gooding, Muiris Wilkes agus le Mícheál Ó Súilleabháin ar crochadh ann leis. Tá dhá phortráid bhreátha de Khruger ar crochadh sa tseomra bídh agus ba dhóigh leat go mbeadh sé ina bheathaidh iontu.

Bhí maoithneachas ar Pháid is ar Mháiréad an lá a ath-osclaíodh an tigh tábhairne nua, mar bhí mórán de shean-charaictéirí an tseanbheár imithe ar shlí na fírinne: Kruger agus Cáit féin, a dheirfiúr Peig agus a fear céile Paddy, Pound, Jerry, Tomás, Labhrás, An Cornal, Charlie agus Deiní. Thosaigh an lá, Déardaoin ab ea é, agus deineadh craoladh uair a'chloig ar Raidió na Gaeltachta ar an gclár "An Saol Ó Dheas" ar chomhrá agus ceol agus cuimhní ar Khruger. Ar na daoine a ghlac páirt sa gclár bhí an Dr. Seosamh, Mícheál Ó Dubhshláine, Art Ó Beoláin, Cáit Bean Feiritéar, Seán Ó Lúing, an tAth. Donncha Ó Conchubhair, Harry Lush, Nóra Ní Shúilliobháin, Seán Pheats Tom, Tom Ó Cearna agus Seán Faelí Ó Catháin. Ar na ceoltóirí a bhí le clos bhí Seáinín Mhicil Ó Súilleabháin, Áine Bean Uí Laoithe, Donie Ó Roileacháin, Matt Britton, agus do chan Pádraig Ó Sé agus Eoin Mór Ó Catháin amhráin ghleoite. Ghaibh Páid agus Máiréad a mbuíochas croí le Raidió na Gaeltachta, leis na cainteoirí, na hamhránaithe agus leis an slua mór a bhí ag éisteacht leis an gclár ar fuaid na hÉireann. B'iad Mícheál de Mórdha agus Mícheál Ó Sé a léirigh agus a d'eagraigh an clár.

Ar a trí a'chlog is an ghrian go hard sa spéir, bheannaigh an tAth. Donncha Ó Conchubhair agus colceathrar de Mhuintir Uí Néill, an tAth. Lee Bartlett, a bhí ar leathanta saoire sa tigh ósta, an tigh tábhairne nua agus ansan, tuairim is ceathrú tar éis a trí, d'oscail an Dr. Seosaimh go hoifigiúil é. Labhair an Dr. Seosaimh go muinteartha agus go caradúil faoi Khruger, faoi a shaol suaithinseach, ilghnéach, ildánach. Bhí slua ana-mhór i láthair ag an oscailt agus an tráthnóna an-bhreá le haghaidh na hócáide. Ar feadh an tráthnóna go léir bhí ceol, caidreamh agus cuideachta sa tigh tábhairne, muintir an tí, muintir an Pharóiste, muintir na Gaeltachta agus mórán cuairteoirí ag baint scléip is taitneamh as an gceol breá a sholáthraigh Pádraig Ó Sé agus banna ceoil Jimmy Crowley.

Níor chaill Kruger riamh a chaidreamh le muintir an Pharóiste, ná níor chaill sé a theangmháil riamh lena chairde iliomad ar fuaid Éireann agus d'féadfá a rá gach tír fén' ngréin. Fear groí agus fíor-Ghael ab ea é, galánta agus ana-dhathúil. Solas síorraí na bhFlaitheas dá anam uasal.

Dá bhrí sin, a Mhuiris, i gceannas Tigh Khrugeir duit, ná dearmad go deo d'oidhreacht dhúchais uasal, maorga – an Ghaolainn. Labhair í gach seans dá mbeidh agat, leathnaigh í, caomhnaigh í ar gach saghas slí, sin é mar ba mhaith led shean-uncail Kruger í bheith. Ná dearmad go brách an oidhreacht oirdheirc sin. Id shlí bheatha nua guíonn do thuismitheoirí gach rath is sonas is séan ort chomh maith led ghaolta agus do chairde líonmhara.

Saol fada séanmhar compordach duit i gceannas an tí cháiliúil seo.